石井敬士
大内順
大塚敏高

神奈川県の図書館

東京堂出版

『神奈川県の図書館』の発刊によせて

神奈川という地域をみると、鎌倉時代に設置された金沢文庫に始まり、日本の歴史の中で中心的役割をはたした鎌倉、小田原、横浜から図書館活動が始まった。現在では全市町村に公共図書館や公民館図書室など七七館が設置され、市町村相互間の広域共同利用が広まり、大学図書館も地域の住民に開放するところがふえてきている。

いま公共図書館はどこも大変な盛況である。各図書館は様々な学習需要に応えるべく、各々特色を持たせて児童向け図書、新聞、雑誌、図書、地域資料、音・映像資料を収集し、さらに先覚者の寄贈資料などを特別文庫として集積している。これらの図書館資料は地域全体として豊かで、かつバラエティに富んだ文化遺産を形成しているといえよう。

いま図書館を利用する人達は資料の情報・利用方法を把握して、自分の学習目的にしたがって図書館を使い分けているように感じている。

この「神奈川県の図書館」が各図書館、資料室などの所蔵資料を紹介することで、利用者の方々に図書館を一段と便利に利用していただく手助け、案内に役立つことを期待している。

今般、県立図書館の石井敬士、地球市民かながわプラザの大内順、県立川崎図書館の大塚敏高の三氏が、神奈川県内の図書館、図書室、資料室の紹介を兼ねた手引としてこの本を編集することとなった。三氏とも長らく県内の図書館活動の進展に努力してこられた方々であり、その知識、経験を生かして各館の紹介を担当する三氏のご尽力に感謝しつつ、この本が各館を利用される方々の生涯学習のお役に立つことを心から願っている。

平成一二年一〇月

元神奈川県図書館協会会長　安　藤　雅　之

凡例

一、本書は神奈川県にある公共図書館、国公私立大学図書館、同短期大学図書館、専門図書館、私立図書館・文庫及び郷土資料館・博物館等の類縁機関の中から、特色ある蔵書、固有のコレクションを有する図書館を紹介するものである。

二、配列は、横浜市、川崎市、湘南・三浦半島、県央、県西の五地域に分け、その中を、機関名の五十音順とした。

三、記載は、設置母体及び図書館の沿革と蔵書の概要、個々のコレクション、蔵書目録等の刊行書誌、その他の特色ある事項からなる。

四、利用の便宜を図るため脚注として、㊢、(電)、(F) ファクス番号、(H) ホームページのアドレス、(交) 最寄りの交通機関と経路、(開) 開館時間、(休) 休館日、(利) 利用の資格・条件、(複) 複写の可否、を付した。

なお、休館日は通常の定期休館日のみ記載し、蔵書点検や入学試験期間中などを含む臨時的な休館日や、年末年始等の一般的な休館日は館によっては省略してある。また、利用資格・条件の「限定」は館によって資格や手続きの内容が異なるので、事前に照会が必要である。複写で「可」とある場合でも、資料によっては複写できないことがある。

五、蔵書数等は注記を除いて概ね二〇〇〇年三月末現在のデータに拠っている。

六、巻末に、図書館及び類縁機関の一覧（五十音順）と、コレクションの索引（コレクション名の五十音順）を付した。

神奈川県の図書館

目次

川崎市

湘南・三浦半島

県央

県西

神奈川県の図書館

馬の博物館

沿革

　横浜は洋式競馬発祥の地である。根岸の丘にわが国初の洋式競馬場として誕生したのが根岸競馬場であり、それは慶応二年（一八六六）秋のことであった。春秋二回開かれた競馬には、明治天皇の行幸も一三回を数えた。明治一三年六月九日には天皇下賜の「花瓶」を競う「ミカドズ・ベース」も開催され、これが今日の天皇賞競馬へとつながる。

　昭和一七年（一九四二）まで七五年間にわたり使用された競馬場も太平洋戦争が激しくなると閉鎖され、やがて戦後はアメリカ海軍に接収されゴルフ場などとして使用されてきたが、昭和四四年日本への返還が決まり現在の根岸森林公園がその跡地である。

　昭和四八年には日本中央競馬会がその一部を取得し「根岸競馬記念公苑」として整備することとなり、そのなかに「馬の博物館」も設置されることになった。開館は昭和五二年一〇月のことである。地上一階地下一階敷地面積二万四八〇〇平方メートルの瀟洒な建物は根岸森林公園の芝生と森林のひろびろとした風景によく合っている。

現況

　館の展示は五つのテーマに分れている。

「自然と馬」は馬の自然史のコーナーである。世界の馬や日本の馬の種類、また馬の進化の過程を骨格標本などから知ることができる。とくにあけぼのの馬といわれるヒラコテリ

㊟〒231―0853
　横浜市中区根岸台一―三
㊒〇四五―六六二―七五八一
Ⓕ〇四五―六四一―四六〇四
　（学芸部）
Ⓗhttp://www.bajibunka.jirao.ne.jp/
㊇ＪＲ・東急東横線桜木町駅・横浜駅よりバス滝の上下車。
㊡月曜、四月一日（土、日曜のときは開館）、年末年始。
㊐午前一〇時～午後四時三〇分。
㊓有料

ウム（エオヒップス）、メソヒップス、メリキップス、プリオヒップス、エクウス（サラブレッド）の骨格模型を揃えているのは日本ではここだけであり貴重である。

「大衆と馬」コーナーには岩手県遠野市から移築した人馬同居の古民家「曲り家」が再現展示されている。ほかに各地の古絵馬なども収集されており、カラー・コルトンで日本全国の馬関連の祭りを知ることもできる。八田一朗氏、額田令彦氏が収集した馬の郷土玩具約千点もある。

「歴史と馬」コーナーには福岡県鞍手郡若宮町の、馬が描かれていることで有名な「竹原古墳」の実物大模型、中世、近世の武家文化と馬の資料、鞍、馬よろい、馬じるしなどの歴史資料が展示してある。また金子有鄰寄託の馬医具一式もある。

「乗馬の技術」コーナーには総合鞍、障害用鞍、ウェスタン鞍の実物が展示してあり入館者は実際にまたがって感触を体験できるようになっている。また「流鏑馬」、「打鞠」や「エリザベス女王戴冠式」といった馬が関係する映像を入館者が選択して鑑賞できるＶＴＲ装置も用意されている。

「競馬」コーナーには神戸市の中井一夫から寄贈された大正二年阪神競馬で授与された帝室御賞典花盛器やチャールズ・ワーグマンの挿し絵で名高い横浜ゆかりの英字紙「イラストレイテッド・ロンドン・ニュース」や「ジャパン・パンチ」などの貴重な資料が展示されている。これらの記事のなかからは従来の近代競馬史からもれていた新事実も発見された。

催事

馬の博物館では開館記念に開かれた「大レースの栄光展」以来ほぼ年に二回のペースで特別展示が開かれている。「横浜開港と馬文化展」(昭和五三年度)、「日本の鞍展」(昭和五三年度)、「馬頭観音展」(昭和五七年度)、「古代文化・馬形の謎展」(昭和六一年度)などである。

刊行物

天正遣欧使節の時代から幕末までの洋馬の記録である「明治以前洋馬の輸入と増殖」や、ドサンコの愛称で親しまれている北海道の和種馬を紹介する「北海道和種馬」など馬に関する専門書が刊行されている。定期刊行物として「根岸競馬記念公苑年報」と年二回の広報誌「馬の博物館だより」が刊行されている。また館独自の研究事業のほかに、外部の研究者に委託する調査研究もある。これまでに「永青文庫所蔵の馬に関する古文書の解読」や「オーストリアのシェーンブルン宮殿博物館所蔵の馬車に関するパンフレット」の翻訳やヴェルンヘル・ゴルブラハト著『馬の史的冒険』の翻訳などがある。

所蔵資料

館内には約二万冊の蔵書を持つ六七平方メートルの図書室があり無料で公開されている。研究者や論文準備の学生など遠方からの利用者も多い。コレクションは各分野の馬に関する和洋書、和洋雑誌、畜産関係の資料などからなり、昭和二十五年からの「競馬に関する新聞記事」のクリッピングもある。また戦前からの競馬成績表は貴重なものである。珍しいものとしてイギリスで一七九三年に刊行された「General Stud—Book」がある。これは「繁殖成績台帳」とよばれているものでイギリスサラブレッドの血統書である。この一七九三年の版以来一九九三年までに四十二巻が刊行されている。

図書室の利用を希望する場合は前もって電話等での予約が必要である。

大倉精神文化研究所付属図書館

沿革

大倉精神文化研究所は実業家大倉邦彦の私的な研究啓蒙機関として創設された。

大倉邦彦は一八八二年佐賀県神埼郡西郷村に生まれた。旧姓江原。東亜同文書院卒業後「大倉洋紙商行」天津出張所に就職、その後二代目店主大倉文二の養子となり文二の没後三六才で大倉洋紙商行社長となった。家業のかたわら国内の思想界の混沌、宗教の無力や世相を憂えて一九一九年目黒の自宅内に大倉学寮を設立、日本の精神文化の研究、調査に着手した。やがて精神文化研究所の構想を持つにいたり当時の東横電鉄（現在の東急東横線）太尾駅近くに用地を購入した。

大倉精神文化研究所の開所は一九三二年四月、大倉は所長に就任した。また一九三七年から六年間は東洋大学学長も務めた。大倉精神文化研究所の建物は長野宇平治の設計。ギリシャ前期のプレ・ヘレニック様式に日本の神社や寺院の建築様式を加味した他に例を見ない独特のものである。なお当研究所の開所にともない「太尾」駅は「大倉山」駅と改名された。

刊行物

大倉精神文化研究所では「日本精神講習会」、「日本仏教講習会」が開催されるなどの活動が活発に続く一方、一九三六年には日本精神の聖書ともいうべき「神典」が編纂された。

㊟〒222—0031
　横浜市港北区太尾町七〇六
㊢〇四五—五四二—〇〇五〇
Ⓕ〇四五—五四二—〇〇五一
㊛東急東横線大倉山駅下車。
㊏毎週日・月曜日、祝日、年末年始。
㊝可。

これは『古事記』、『日本書紀』、『古語拾遺』、『宣命』、『令義解』（抄）、『律』（抄）、『延喜式』、『新撰姓氏録』、『風土記』、『万葉集』（抄）を一冊に収めたもので、日本古典の精髄ともいえる重要な作品を総振りかな付き読み下しにしたもの。版を改め現在も刊行が続いている。

所蔵資料

付属図書館の集書に大倉は当初から熱心で、宗教、哲学、倫理、心理、教育、日本文化の六部門をその収集範囲とし各部門の専門家に図書選択委員を委嘱し調査につとめた。また一九二六年から二七年にかけては原田三千夫をともない渡欧、洋書の集書も行った。

戦後「大倉山文化科学研究所」と名を改めた。一九四六年の時点でその蔵書冊数は約四万七〇〇〇冊であり、これは神奈川県内では横浜市図書館の約六万四〇〇〇冊に次ぐ規模であった。ちなみに戦後再発足した神奈川県図書館協会の初代会長には当時の研究所長上田辰之助が就任した。

研究所付属図書館は一九五〇年に国立国会図書館に蔵書の保存と管理運営を委託、一九六〇年、国立国会図書館が永田町に新築開館するまでは国立国会図書館の支部図書館としての運営が続いた。

一九五三年からの三年間研究所内に大倉山学院を開設、東洋哲学の常設講座を開講し講師には元カルカッタ大学総長で、極東軍事裁判において日本無罪論を唱えたことで知られるパール博士らを招聘、また一九五六年からの「大倉山生活文化学園」と名付けた公開講座では一般市民向けの英会話、バレー、書道、絵画教室を開くなどもした。これは現近盛況なカルチャースクールのごく早い時期のものといえる。

そして一九八一年には敷地を横浜市に売却、建物も横浜市に寄贈された。建物は改修後横浜市の文化施設「大倉山記念館」として使用され現在にいたる。一方貴重資料を多く含む蔵書は一旦横浜市に寄託されたのち横浜市はその管理運用を大倉精神文化研究所に委託、その業務を遂行するために大倉精神文化研究所は現在も書庫、建物の一部を使用している。

約八万冊の蔵書資料は二階の「公開閲覧室」で無料で利用することができる。公開閲覧室は座席一二席、書庫の一部が公開され、それ以外の資料は常駐する職員により出納され提供される。哲学、宗教、歴史関係の入門書から専門書までが幅広く揃っており、特に神道、儒教、日本史、中国史などの分野の蔵書が充実している。一般向け資料は館外貸出しとコピーサービスもしている。ただし閉架書庫内の研究用専門図書は貴重なものが多く貸出しは原則として行っていない。

コレクション――――

資料には大倉邦彦の旧蔵本約三〇〇〇点をはじめ多くの貴重なコレクションが含まれている。

「榊原文庫」は姫路藩主榊原忠次旧蔵の和書、漢籍のコレクションである。正保期に藩主が命じて筆写させた『神皇正統記』、『水鏡』、『増鏡』などがある。約四〇〇〇点。

「大周寺文庫」は名古屋の大周寺より寄贈された江戸期から明治初期にかけての仏教各宗

派にわたる仏教文献のコレクションである。約四〇〇〇点。

「古文書古記録影写副本」は東京帝国大学史料編纂所が『大日本史料』、『大日本古文書』の編纂過程で借り入れた古文書、古記録、図書等貴重文献史料類を大倉精神文化研究所が職員一〇名を派遣して筆写させた写本群である。後に戦災で原本が焼失したものもあり、非常に貴重な資料となっている。『古文書古記録影写副本解題』（一九四三）が刊行されている。

「タゴール文庫」はインドの詩人タゴールが大倉邸滞在の謝礼として帰国後寄贈してきたものとタゴールに関する研究書からなる。なかにタゴール自身が即興詩を自筆したものもある。一八〇点。

「金沢本」は古文書収集家金沢甚衛（一八九二〜一九八二）の収集した江戸初期の人別帳、宗門帳などのコレクションである。約五〇〇点。

「松井文庫」は東洋史学者松井等（一八七七〜一九三七）より寄贈された中国朝鮮関係書のコレクション。約四〇〇〇点。

「服部文庫」は漢学者服部富三郎（一八六一〜不詳）の収集した江戸期の漢籍からなる崎門学派の写本、刊本からなるコレクション。細野要斎の自筆本を多く含む。四三四点。

「旧制高等学校文庫」は一九七三年結成された旧制高等学校資料保存会が収集した明治期から戦後にいたる教育関係の資料コレクション。学校史、寮史など約一五〇〇点。『旧制高等学校文庫附六高山岡資料目録』（一九八九）がある。

なおこれらのコレクションの利用、閲覧を希望する場合は事前の連絡が必要である。それ以外の蔵書は図書館開館時間中はいつでも利用できる。

刊行物――――

研究所の紀要として「大倉山論集」が刊行されている。

大佛次郎記念館

沿革

大佛次郎（本名野尻清彦）は明治三〇年横浜の英町一〇番地で生まれ、七歳までそこで暮らした。父政助は日本郵船に勤務していた。長兄は英文学者、天文学者して知られた野尻抱影である。府立一中、一高卒業後東京帝国大学政治科を卒業、学生結婚をして鎌倉の大仏裏に住んだ。大佛の筆名はここからきている。

中学時代の教師亀井高孝、河野元三らの影響で歴史に興味を持ち、これがのちにドレフュス事件やフランス第三共和政の研究として結実した。とくに『パリ燃ゆ』『天皇の世紀』はライフワークともいえるものである。一方で『鞍馬天狗』に代表される大衆小説を多く発表し通俗小説をそれまでの地位から高めることに成功した。昭和二五年には『帰郷』で芸術院賞を受賞した。三四年には芸術院会員となり、これまたライフワークであった『天皇の世紀』を朝日新聞に連載中の四八年四月三〇日ガンのため死亡した。

大佛次郎は終生横浜を愛し、『帰郷』、『霧笛』、『白い姉』など横浜を舞台にした作品を多く生み出した。また横浜山下町の山下公園向かいのホテル・ニューグランドを仕事場として多くの作品を執筆した。東京で亡くなった大佛次郎の遺体を乗せた車は途中ホテル・ニューグランドに立ち寄り最後の別れをしたあと鎌倉に向った。同ホテルでは現在でもその部屋三二〇号室をほとんど当時のままに保存している。遺族は故人の遺志により、約三

㊟〒231―0862
横浜市中区山手町一一三
㊢〇四五―六二二―五〇〇二
Ⓕ〇四五―六二二―五〇七一
㊋JR・東急東横線桜木町駅からバス港のみえる丘公園下車。
㊡月曜、祝日の翌日、毎月月末。
㊐午前一〇時～午後五時三〇分（一〇～三月は午前一〇時～午後五時）。
㊒有料。
㊓研究室利用とも申込により可。

万五〇〇〇冊の蔵書と約二万冊の雑誌、遺品多数を横浜市に寄贈。横浜市は昭和五三年、港の見える丘公園に隣接した地に大佛次郎記念館を建設した。現在の管理運営は財団法人大佛次郎記念会が行なっている。

煉瓦風タイルの外壁をもつ館内は二階建て。自筆原稿、挿し絵原画、書簡など多くの資料が展示されている。記念室には大佛次郎が使用した机、寝台、書棚、書籍が置かれ生前の書斎が忠実に再現されている。また全著作の初版本が二面のガラス書棚に展示してある。

これらの資料は申し込めば「閲覧室」で閲覧することができる。座席数六席の閲覧室では公開図書が自由に閲覧できるほか、常駐している職員が書庫内資料の出納、相談などに応じてくれる。

所蔵資料――――

閲覧室の利用者は大佛文学の研究者のほか大佛のフランス史研究で使用された貴重な「フランス第三共和制成立史資料」（約二〇〇〇冊）や普仏戦争期の「政治諷刺画コレクション」（約二千六〇〇点）の利用者も多い。特記すべき資料としては『パリ燃ゆ』の執筆資料として使用した「ル・タン紙」の綴りがある。

館では特別展が年一回開催され、それを機に毎年館内の展示替えが行なわれる。

刊行物――――

昭和六一年から『おさらぎ選書』が刊行されている。大佛次郎関係の書誌類と特集ごとの蔵書目録で「書き込みあり」の注記事項が特長である。

神奈川近代文学館

沿革

東京駒場の日本近代文学館の姉妹館として、昭和五九年四月開館した博物館、図書館の機能を兼ね備えた施設である。東京の日本近代文学館が資料の閲覧を業務の中心としているのに対し、神奈川近代文学館は展示・講座などのイベントにも力を入れている。

神奈川県内には鎌倉、横浜、小田原などの文化圏があり、それぞれに多くの文学者が生まれ育ち、またはそこで暮らし文学作品を生み出した。さらに湘南、箱根等の避暑地、避寒地に滞在した文学者たちにより、そこを舞台とした文学作品も多く生み出された。これら神奈川の風土が育んだ多くの文学作品やゆかりの品々を保管、展示し研究に資する目的で設立されたのが神奈川近代文学館である。

神奈川近代文学館のそもそもの発端は、昭和五四年鎌倉文学史話会が当時の長洲一二知事を訪れ近代文学館の建設を提言したことに始まる。提言を受けた長洲知事は当時日本近代文学館の理事長であった文芸評論家故小田切進に協力を求めた。小田切進ははじめ地方自治体の文学館経営に難色を示したが、やがて協力を約束、尾崎一雄、井上靖、中村光夫の三人を加えた建設準備懇談会（通称五人委員会）が発足し検討が始まった。

建設地ははじめ神奈川県の県有地を予定していたが、横浜、鎌倉、小田原、厚木、相模原、大磯の各自治体から誘致の申し入れがあり、検討の結果横浜市により無償提供される

㊟〒231―0862
横浜市中区山手町一一〇
㊔〇四五―六二二―六六六六
Ⓕ〇四五―六二三―四八四一
Ⓗhttp://www.kanabun.or.jp/
㊋JR京浜東北線石川町駅より徒歩二〇分、東急東横線桜木町駅よりバス港のみえる丘公園下車。
㊡月曜、祝日の翌日、毎月月末。
㊐午前九時三〇分～午後六時三〇分（土、日、祝日は午後五時迄）。
㊑無料。貸出し不可。
㊌可。

ことになった中区山手の、横浜港が一望できる一等地「港の見える丘公園」内がその場所に決まった。

神奈川近代文学館は創設計画の当初から官立民営方式を前提として進められ、現在は財団法人神奈川文学振興財団が運営している。開館一〇年をすぎ所蔵資料も六〇万点をこえており多くの貴重な資料が収集されている。そして作家の生前、没後寄贈された資料で作家の全体像をうかがい知るに十分な質的、量的な内容をもった資料を文庫として順次公開している。

第一閲覧室では「神奈川の風光と文学」と題し神奈川県内を五つの地域に分けてゆかりの文学作品を紹介する常設展示をしている。第二、三閲覧室では一年に二回特別展を開催しているがそれ以外の期間は「明治」、「大正」、「昭和①」、「昭和②」のそれぞれの時代の近代文学の流れを順次紹介する常設展を行なっている。

コレクション――

獅子文六文庫　獅子文六（一八九三〜一九六九）は横浜市弁天通生まれ。父は絹もの貿易商を営んでいた。風刺に富んだユーモア小説に新生面をひらき、昭和三八年に芸術院賞を受賞して日本芸術院会員になり、四四年には文化勲章を受賞した。又演出家・装置家岩田豊雄としても活躍した。その原体験の記録ともいえる二度にわたるフランス留学のさいの観劇ノートは特に貴重なコレクションといえる。夫人の岩田幸子より寄贈、約三四〇〇点。

尾崎一雄文庫　尾崎一雄（一八九九〜一九八三）は三重県宇治山田町生まれ。実家は代々神奈川県足柄下郡下曽我村の神官であった。「暢気眼鏡」で第五回芥川賞を受賞。昭和三九年日本芸術院会員となり、昭和三七年と五〇年、二度にわたり野間文芸賞を受賞。当文庫は尾崎自身の原稿はもとより井伏鱒二、中野重治、丹羽文雄らの原稿、檀一雄、太宰治、川崎長太郎らからの書簡など約四万六〇〇〇点からなる。志賀直哉資料の第一級のコレクションとしても知られる。尾崎一雄は神奈川近代文学館の初代館長に内定していたが開館を待たずに亡くなった。コレクションは松江夫人から寄贈され、これが神奈川近代文学館の文庫の第一号となった。

神西清文庫　神西清（一九〇三〜五七）は東京牛込に生まれ翻訳、小説、評論、詩、短歌と広い分野で活躍した。昭和九年より鎌倉に永住し。一九一三年にはガルシンなどの翻訳で池谷賞を受賞。フランス文学やロシア文学の名訳で知られ二七年には「ワーニャ伯父さん」の翻訳で文部大臣賞を受賞した。百合夫人からの寄贈、約四〇〇点。

杉本三木雄文庫　神奈川県内の歌人を中心とした歌集、短歌雑誌のコレクションである。与謝野晶子の随筆原稿や吉野秀雄の書額も含まれている。杉本三木雄（一九一五〜九〇）のほか横浜歌人会の塩野崎宏、「創生」編集同人の武市房子からの寄贈資料も含まれる。約八〇〇〇点。

木下杢太郎文庫　木下杢太郎（一八八五〜一九四五）は詩人。静岡県伊東市に生まれ生家は古い商家であった。美術を目指すが家族の反対で美術学校進学を断念、医学の道に進んだ。文学以外にも医学分野での功績も知られている。雑誌「スバル」を中心に活躍。内容装丁ともに耽美的な詩集「食後の唄」でよく知られる。同文庫には北原白秋、長田秀雄と共に出した雑誌「屋上庭園」第二号（白秋の詩掲載により発禁となった）のほぼ完全な掲載原稿がある。ほかに書簡、学生時代から没年までの四五年分の日記などがある。令息の太田元吉氏より寄贈、約一万四〇〇〇点。

大野林火文庫　大野林火（一九〇四～八二）は横浜日の出町生まれ、俳人。早くより才能を注目され臼田亜浪の主宰する「石楠」に作品、評論を発表、花形作家となった。敗戦後は「浜」を創刊主宰。昭和三九年横浜文化賞、四三年飯田蛇笏賞、四八年神奈川文化賞を受賞した。林火が収集した句集が中心のコレクションで、神奈川にゆかりの深いものが多い。夫人の登志子氏より寄贈、約二〇〇〇点。

福本和夫文庫　福本和夫（一八九四～一九八三）は鳥取県生まれ。大正昭和の思想界に大きな足跡を残した評論家。福本イズムとよばれる理論を以て共産主義運動を指導した。獄中一三年間に獄中作業である紙風船作りの材料の紙片に書かれたメモ、原稿、獄中ノート四冊などがありこれらは獄吏の監視の目をくぐって獄外に持ち出された。令嬢逸子氏より寄贈、約六〇〇〇点。

藤森成吉文庫　藤森成吉（一八九二～一九七七）は長野県諏訪町生まれ、小説家、劇作家、プロレタリア文学運動家。人生派から社会派さらに社会主義へと進み、昭和三年、全日本無産者芸術連盟（ナップ）の初代委員長になった。昭和二年発表した戯曲「何が彼女をさうさせたか」は当時流行語になった。文庫にはその草稿もある。また信子夫人が岡倉天心の姪であることから天心愛用の文机もコレクションに含まれている。令息藤森岳夫氏より寄贈、約二九〇〇点。

高木健夫文庫　高木健夫（一九〇五〜八一）は福井市生まれの新聞記者。父親が横浜測候所長だったので幼時横浜フランス山に居住した。読売新聞に一七年間「編集手帳」を連載しコラムの名手として知られる。長年にわたる新聞小説研究の成果「新聞小説史稿」（昭和三九、三友社）執筆の材料に集めた明治期から戦後にいたるまでの新聞連載小説の切り抜きをはじめ、日本最初の新聞「バタビア新聞」、横浜で出されていた岸田吟香の「横浜新報もしほ草」などが含まれている。又中国、朝鮮関係のものにも貴重なものが多い。昭和四九年度芸術選奨文部大臣賞を受賞。令息高木有為より寄贈、約二万四〇〇〇点。

勝呂忠文庫　三〇年以上にわたるハヤカワポケットミステリーの表紙画で知られる鎌倉在住の画家勝呂忠（一九二六〜）から寄贈されたコレクション。ポケットミステリーのほか勝呂氏の装丁、カットになる図書、雑誌、その原画がおさめられている。約三〇〇〇点。

添田唖蝉坊・知道文庫　大磯で生まれた父添田唖蝉坊（一八七二〜一九四四）と東京本所で生まれた子添田知道（一九〇二〜八〇）の文庫。唖蝉坊は自由民権運動に始まる壮士演歌師として「ノンキ節」や「ああ金の世や」といった風刺性の強い唄を多く作った。知道は小説やエッセイ、大衆文化の研究などで知られる。知道は小説「教育者」により新潮社文芸賞を『演歌の明治大正史』により毎日出版文化賞を受賞。当文庫には空襲時甕《かめ》に入れて保管されたという「教育者」の創作ノートや草稿、又唖蝉坊あての川端康成の書簡、知道あての書簡には網野菊、江戸川乱歩などからのものがある。知道の甥入方宏等から寄贈、約二万五〇〇〇点。

中川孝収集実篤文庫　武者小路実篤の門下生であり研究家である中川孝のコレクションを克子夫人が寄贈したもの。武者小路実篤(一八八五～一九七六)は東京麹町で生まれた。父は子爵武者小路実世。本多秋五によれば実篤の一生は大きく「夢と少女と偉人」の時代↓「個人主義の文学」の時代↓「人道主義の文学」の時代↓「生命賛美の文学」の時代↓「脱俗の文学」の時代と分けられる。たしかに初期「白樺」時代から「新しき村」をへて戦争協力の文学、戦後の公職追放、そして復活、文化勲章受賞と波乱の人生を送りながら人生肯定型の一生を全うした。「実篤文庫」の名称は実篤自身によって命名された。約一万八〇〇〇点。

中西悟堂文庫　中西悟堂（一八九五～一九八四）は金沢市生まれ。歌人、詩人としての豊かな経歴ののち昭和九年二月「日本野鳥の会」を設立。機関誌「野鳥」を創刊した。日本野鳥の会会長、国土緑化、首都緑化、中央鳥獣審議会の委員、日本動物愛護協会、日本鳥類保護連盟の理事等を歴任。大日本猟友会との国会闘争ののち鳥類保護の法律を立法した。多くの鳥類関係図書を出版し昭和三一年にはエッセイスト・クラブ賞、昭和四三年には読売文学賞を受賞した。八重子夫人からの寄贈、約四六〇〇点。

中里恒子文庫　中里恒子（一九〇九～八七）は藤沢市生まれ。東京麻布から横浜根岸に移転、山手の紅蘭女学校に学ぶ。小説、エッセイには古き良き時代の横浜山手の風物の美しい描写が多い。横光利一に師事し昭和一四年芥川賞を受賞した。小説「歌枕」により昭和四九年読売文学賞、「わが庵」ほか多年にわたる文学活動により昭和四九年度の恩賜賞を受賞した。生前神奈川文学振興会の理事を務め、早くから資料の一括保存を考えこの文庫の誕生となった。令嬢スクリブナー・圭より寄贈、約七〇〇〇点。

中村光夫文庫　中村光夫（一九一一〜八八）は東京下谷に生まれた。批評家、劇作家、小説家。当文庫には二葉亭四迷研究のために収集した資料が多く含まれている。二葉亭自筆の「生い立ち」、「平凡」、「むかしの人」や書簡など。二葉亭関連のものとしては早稲田大学所蔵のコレクションと並ぶ第一級のコレクションである。昭和一一年「二葉亭論」で池谷信三郎賞受賞、昭和三三年「二葉亭四迷伝」で読売文学賞を受賞、久子夫人より寄贈、約三〇〇〇点。なお中村光夫は神奈川近代文学館の建設準備懇談会の委員でもあった。

近藤東文庫　近藤東（一九〇四〜八八）は東京京橋生まれ。長く横浜市在住。岐阜中学時代から北原白秋系の歌誌「白光」の同人となる。昭和一五年春山行男と詩誌「謝肉祭」を創刊。明治大学時代上海にわたりそのモダニズム、エキゾティックなものへの傾倒が強くなる。戦後は一変、勤務先で国鉄詩人会を結成して勤労詩運動を展開した。夫人ふじ子氏より寄贈、約一万八〇〇〇点。

楠本憲吉文庫　楠本憲吉（一九二一〜八八）は大阪市生まれ、俳人。慶応大学在学中から俳句に親しみ、慶大俳句会を組織した。日野草城主宰の「青玄」に参加。ラジオやテレビでも活躍した。テレビはその放送初期から出演。文化人タレントのはしりとして「クスケン」の愛称で親しまれた。節子夫人より寄贈。約九〇〇〇点。

堀辰雄文庫　堀辰雄（一九〇四〜五三）は東京麹町の生まれ。一高在学中より室生犀星、芥川龍之介に師事。昭和二年川端康成、横光利一、永井龍男、深田久弥らと「文学」を創刊。昭和八年詩誌「四季」を創刊。この雑誌からは立原道造、野村英夫ら多くの詩人が育った。昭和一七年「菜穂子」で中央公論文芸賞を受賞。当文庫は堀旧蔵書のうちの洋書、洋雑誌からなる。リルケ、プルースト、モーリアック等。堀自身の書き込み入り本も多数含まれている。当文庫については館報「神奈川近代文学館」27号の中村真一郎の回想が詳しい。多恵子夫人より寄贈。

長篠康一郎収集太宰治文庫　太宰治（一九〇九〜四八）の研究家長篠康一郎が収集した資料群。太宰の書簡や最初の妻である小山初代、太宰と心中した山崎富栄関連の資料もふくまれている。約七〇〇〇点。

中島敦文庫　中島敦（一九〇九〜四二）は東京四谷生まれ。小説家。一高、東京帝国大学国文科とすすみ、同大学院に籍をおいたまま私立横浜高女（現在の横浜学園）の国語、英語の教員となる。教員時代の思い出を書いた「かめれおん日記」などの原稿六八点。また浄書五枚のところで亡くなった「李陵」の草稿七七枚。最初期の習作、一高時代の満鉄病院入院時に書かれた「病気になった時のこと」から最晩年の病床で書かれた随筆「章魚木の下で」までのノートや断片が揃っている。令息の桓氏より寄贈、約八〇〇〇点。

野間宏文庫　野間宏（一九一五〜九一）は神戸生まれ。小説家。京都大学時代から反戦学生運動に参加。卒業後大阪市役所に就職してセツルメント事業を担当し、部落解放運動の指導者たちと出会った。戦中は思想犯として大阪陸軍刑務所に入所。戦後は戦後文学運動の推進者の中心として小説に評論に活躍した。光子夫人より寄贈、約八万三〇〇〇点。

広津柳浪・和郎・桃子文庫　広津柳浪（一八六一〜一九二八）と和郎（一八九一〜一九六八）桃子（一九一八〜八八）の親子三代にわたる資料のコレクション。広津柳浪は長崎県の生まれ。帝大医学部に進むが馴染めず退学、やがて硯友社同人となり多くの作品を発表、明治中期「変目伝」、「黒蜥蜴」、「亀さん」などその題材を不具者、醜女、白痴に求めたことから、深刻小説、悲惨小説と呼ばれ文壇に注目された。その後筆を断ち、東京府下荏原郡で孤独な晩年を過ごし没した。

和郎は柳浪の次男として東京市牛込区矢来に生まれた。早稲田大学に入学し相馬泰三、葛西善蔵らと「奇蹟」を創刊、卒業後はモーパッサンの『女の一生』を翻訳、宇野浩二とトルストイの『戦争と平和』の翻訳に携わった。戦後の和郎は何といっても謎に満ちた松川裁判を厳しく批判した論客として知られる。昭和二四年からは文芸家協会の会長を務め、二五年には芸術院会員になった。

桃子には父和郎の回想等の作品があり、当文庫は桃子の遺志により神奈川近代文学館に寄贈された。約六四〇〇点。

大岡昇平文庫　大岡昇平（一九〇九〜八八）は東京牛込生まれ。小説家。高校時代に家庭教師として小林秀雄と出会い中原中也、河上徹太郎、今日出海等を知り深い影響を受けた。戦中フィリピンでの俘虜体験が『俘虜記』として結実。私小説から推理小説や大衆小説にまで筆を染める広範な文学活動が作家のスケールを示している。四六年には芸術院会員を辞退した。夫人の春枝氏寄贈、約八〇〇〇点。

西條八十文庫　西條八十（一八九二〜一九七〇）は東京牛込生まれ。詩人、フランス文学者。鈴木三重吉の依頼で「赤い鳥」に童謡を発表。「かなりあ」は成田為三の曲を得て愛唱され、また大正期を代表する名作を多く作った。外国童謡の翻訳も多く新しい作品をつぎつぎに発表した。のちには歌謡曲の作詞家としても活躍、六二年芸術院会員に選ばれた。子息八束氏より寄贈、約八一〇〇点。

立原正秋文庫　立原正秋（一九二七〜八〇）は朝鮮大邱生まれ。小説家。両親とも日朝混血。一九六五年『白い罌粟』で直木賞を受賞し、人気作家となった。早稲田大学時代から世阿弥をはじめとした日本の古典文学に親しんだ。少年時代を横須賀市ですごし、その後亡くなるまでは鎌倉市と神奈川県内に住み続けた。光代夫人より寄贈、約一二〇〇点。

寺田透文庫　寺田透（一九一五〜九六）は横浜市生まれ。フランス文学者。バルザック、ランボー、ヴァレリーを研究。道元研究でも有名。一九七〇年毎日出版文化賞、一九七六年毎日芸術賞を受賞。夫人の道子氏より寄贈。約一万二〇〇〇点。

神奈川近代文学館は開館当初から児童文学部門を柱の一つとしており、この分野にも特色あるいくつかの文庫がある。

藤田圭雄《たまお》文庫　藤田圭雄（一九〇五～九九）は東京生まれ。詩人、研究者、編集者。四六年実業之日本社から「赤とんぼ」を創刊し「赤い鳥」の精神の継承をめざした。「日本童謡史」（あかね書房、七一年）で日本児童文学者協会賞、巖谷小波文芸賞を受賞した。七四年から日本児童文学者協会会長、八二年から日本童謡協会理事長をつとめた。現在も引き続き貴重資料が順次寄贈されている。

滑川道夫文庫　滑川道夫（一九〇六～九二）は秋田県湯沢町生まれ。教育学者、児童文化研究者。早くから生活綴方教育に携わった。作文教育など読書指導の中心的役割を長くになった。七二年には日本読書学会会長に、七六年には日本児童文学会会長に就任した。「桃太郎像の変容」（東京書籍、八一年）で毎日出版文化賞を受賞。当文庫には多数の桃太郎関係書がふくまれている。日本有数の児童書のコレクションを当館が購入したもの。約二万点。

那須辰造文庫　那須辰造（一九〇四～七五）は和歌山県田辺市生まれ。小説家、児童文学者、翻訳家、能楽鑑賞家として知られる。昭和一〇年頃から福士幸次郎に師事。さまざまな分野に手を染め翻訳家としてはランボー、マッシス、フルニエらを紹介し、児童文学者としては長編少年小説「緑の十字架」で産経児童出版文化賞を受賞した。又能楽にも造詣が深かった。甥の竹中康太郎氏より寄贈。約八〇〇〇点。

鈴木三重吉・赤い鳥文庫　鈴木三重吉（一八八二～一九三六）は広島市に生まれ小説家、童話作家として活躍したが、何よりも児童文化の世界に豊かな芸術性を持ち込むべく創刊した雑誌「赤い鳥」によって知られている。自らも作品を発表しながら、編集者として有島武郎、芥川龍之介、小川未明らの童話、北原白秋、西条八十、野口雨情らの童謡を取り上げ。当文庫には創刊号からの「赤い鳥」のすべて一九六冊が揃っている。ほかに処女短篇集『千代紙』や鈴木三重吉関係の研究書も含まれている。令息鈴木珊吉氏より寄贈された。約二〇〇〇点。

関英雄文庫　関英雄（一九一二〜九六）は名古屋市生まれ昭和二一年日本児童文学協会設立に尽力、初代事務局長をつとめた。民主的児童文学運動を組織し児童文学創作、児童文学研究で長く主導的役割を果たした。サンケイ児童出版文化賞、日本児童文学者協会賞、赤いとり文化賞を受賞。子息の曠野氏寄贈、約七八〇〇点。

以上のような貴重な所蔵資料をどれも実際手にとって閲覧することができるのが席数二八席の「閲覧室」と席数四席の「特別閲覧室」である。神奈川近代文学館では館収蔵資料は原則としてすべて一般に閲覧できるようになっている。資料は書庫内に保管してありカウンターで出納を申し込む。また「特別閲覧室」は主に直筆資料を閲覧するための席で、席数が少ないこともあり事前に予約が必要である。資料の館外貸出はしていない。

資料検索は日本語資料はコンピュータ端末および冊子目録で検索できる。外国語資料は目録カードで検索する。雑誌の特集号は「近代文学作家特集号索引」が用意されている。またコレクションごとに順次「神奈川近代文学館収蔵文庫目録」シリーズが刊行され口頭、電話、文書、Ｅメールいづれのレファレンスも受け付けている。

また、二〇〇〇年四月からはインターネットのホームページからの蔵書検索が可能になった。

神奈川県議会図書室

沿革

神奈川県庁新庁舎の五階にある神奈川県議会図書室は広く県民にも公開されている図書室である。そもそもは議員の議会活動の調査研究のための機関として昭和二三年に設置された。

所蔵資料

各都道府県の県公報が揃っているほか、衆参両議院の本会議、各委員会の会議録、各県の県会会議録、各県の県議会史、神奈川県内各市町村議会の会議録などが集められている。神奈川県のものは各部局の報告書類、各種計画書、事業計画書等が集められている。議会事務局が制作している「議会データ総合利用検索システム」は昭和六三年に開発に着手、平成四年に一部運用開始後平成五年から本格稼働を開始したものである。明治一五年以降の「会議録」をはじめ昭和五八年六月定例会以降の「請願・陳情」、昭和三四年六月定例会以降の「議案」、平成二年四月以降の「新聞記事」がすべて光ディスクからインデックスにより検索できるほか、昭和五〇年六月定例会以降の「会議録」「質問・答弁」、昭和三四年六月定例会以降の「意見書・決議」、昭和二二年六月定例会以降の「事例」、昭和二二年以降に在職した議員の「議員履歴」を自由語により全文検索することができるようになっている。

㊟〒231—8588
横浜市中区日本大通り一
㊝〇四五—二一〇—一一一一
(代)
Ⓕ〇四五—二一〇—八九〇七
㊫JR京浜東北線、市営地下
鉄関内駅下車。
㊡土・日曜、祝日。
㊐午前八時三〇分～午後五時。
㊢不可。

神奈川県県政情報センター

㊟〒231―8588
横浜市中区日本大通り一
㊔〇四五―二一〇―一一一一
（代）
Ⓕ〇四五―二一〇―八八三五
Ⓗhttp://www.pref.kanagawa.jp/
㊋JR根岸線、市営地下鉄関内駅下車。
㊕無料。
㊖可。

沿革

昭和五八年四月に発足した「かながわの情報公開制度」はいまでは県民の間にすっかり定着したものとなっている。この制度は公文書公開制度と情報提供システムからなっており「公文書公開条令」はより公正で開かれた県政の実現を図るため、県の公文書を「原則公開」とし非公開公文書を極力少なくするようつとめている。その一方で個人情報については個人の秘密、プライバシーなどがみだりに公開されぬよう配慮がなされている。ちなみに神奈川県では個人情報については県が保有する個人情報のみならず民間事業者が保有する個人情報についても保護するため平成一二年四月に「神奈川県情報公開条例」を施行している。

現況

神奈川県庁第二分庁舎一、二階の一部約七五〇平方メートルを占める県政情報センターはこれら県政情報の発進基地として県民に広く公開されている。

一階にある「総合案内窓口」では公文書の閲覧の請求、県政についての質問、個人情報の保護についての相談などに応じている。ここでは県の各室課が作成した資料や県政情報室が収集した資料を提供しているほか、県政に関する質問には窓口職員が対応し、さらに必要なときには関係部局の職員が直接質問に応じている。

（注1）
㈶神奈川県厚生福利振興会
第二分庁舎1階
㈶神奈川県厚生福利振興会
かながわ県民センター
㈱有隣堂本店書籍館
中区伊勢佐木町一―四
㈱有隣堂横浜駅西口店
ダイアモンド地下街
㈱有隣堂戸塚店
戸塚区戸塚町八
ラピス戸塚二三階

隣接して県刊行物の販売コーナーがある。ここでは県民から要望の高いものを中心に県刊行物の直接販売をしている。なお県の刊行物はここ以外でも県内の一四か所で購入する(注1)ことができる。

二階には行政資料コーナーがある。公開されている約五万二〇〇〇冊の行政資料は利用者が自由に閲覧することができる。また館外貸出もしている。

同じスペースにある「県民相談室」では専門相談員が暮らしや生活上の様々な問題の相談に応じてくれる。

「ビデオライブラリー」では用意された都市基盤、文化、産業、環境などの県の広報ビデオ約五五〇本がセンターマニュアル方式により視聴できる。また館外への貸出もおこなっている。

「かながわハローファックス」は利用者が受話器付きのファックスから三六五日二四時間いつでも県政情報を取り出せるサービスである。

「航空写真の複製サービス」は県が独自に撮影した県内全域の航空写真を有償で提供するサービスである。昭和二九年度版(白黒)、昭和三九年度版(白黒)、昭和四四年度版(白黒)、昭和四八年度版(カラー)、昭和五五年度版(カラー)、昭和六〇年度版(カラー)、平成二年度版(カラー)、平成八年度版(カラー)がある。

㈱有隣堂藤沢店
藤沢市南藤沢二―一―一
藤沢名店ビル四階

㈱有隣堂厚木店
厚木市中町二―六―二四
ほてい屋第一ビル五階

㈱有隣堂川崎BE店
川崎ステーションビル六階

㈱伊勢治書店
小田原市栄町二―一三―三

㈱BOOKSアミ
相模原市上鶴間三四九八

㈲尚文堂
足柄上郡松田町松田惣領一二一五

㈲山本書店
津久井郡津久井町中野九八八

㈱平坂書房
横須賀市若松町二―三〇
モアーズシティー七階

㈱サクラ書店
平塚市宝町一―一
ラスカ五階

神奈川県社会福祉協議会福祉資料室

沿革

横浜駅西口から歩いて十二、三分、沢渡《さわたり》中央公園に隣接して神奈川県社会福祉会館がある。横浜駅からそう遠くないところなのに思いのほか静かな一角である。県社会福祉協議会をはじめとするいくつかの社会福祉関係団体事務局が置かれ、ホール、研修室なども利用できる施設となっている。

現況

県社会福祉協議会が運営する福祉資料室は、この建物の4階にあり、約二四〇平方メートルのスペースを占める。二〇席ほどの閲覧室も用意されている。

所蔵資料は、図書約五万二〇〇〇冊、雑誌一五〇種余り、ビデオテープもある。そのほとんどが福祉関係のものであることはいうまでもない。新しい資料も着実に収集されている。購入によるもののほか、寄贈を受けて所蔵資料となるものも多い。自治体や研究機関による調査や研究の報告書は、かなりの数のものが寄贈によって収集・保存されている。また、一九二四年に神奈川県社会事業協会が、設立した社会事業図書館の蔵書も引き継がれ、一九二〇〜三〇年代の社会問題や社会事業に関する貴重な文献も四〇〇〇点ほど所蔵されている。

福祉関係図書はたいへん充実している。たくさんある福祉関係図書を利用しやすくする

㊟〒221—0825
横浜市神奈川区沢渡四—二
㊒〇四五—三一一—二〇一四
Ⓕ〇四五—三一三—二四二〇
㊐午前九時〜午後五時。
㊡土・日曜日、祝日、毎月第三金曜日。
㊂可。

ために社会福祉分野の分類を展開して、例えば、社会福祉〈A00〉、生活保護〈A21〉、高齢者福祉〈A26〉、障害者福祉〈A27〉、児童福祉〈A40〉というような細かい分類が与えられ、書架に並んでいる。県単位の社会福祉協議会の団体史は、各県のものがよく揃っている。

雑誌は、福祉関係の各分野に及んでいる。また、社会福祉関係団体の広報紙やボランティアグループの情報紙もこまめに収集されている。新聞は、この分野の専門紙である「福祉新聞」を収集・保存している。

ビデオテープは、福祉関係者やボランティア活動に取り組む人たちの研修に役立つものを中心に収集されている。

「ターミナル・ケア」、「ゴールドプラン」、「在宅医療」といった関心の高いテーマで文献リストを作成している。テーマごとにバインダーで整理され書架に置かれており、気軽に利用できる。日常的に所蔵雑誌の関係記事をコンピュータに入力、データベースの作成をすすめているが、文献リストはこの作業の中から生み出されたものである。福祉関係の調査については相談してくださいと積極的にＰＲしている。入力された雑誌記事情報も活用しながら丁寧に応えてもらえるようだ。

貸出も行っている。登録すれば誰でも貸出を受けることができる。図書は三冊、ビデオは五本まで、貸出期間は二週間である。

福祉全般についてまた福祉の様々な分野に関する調査を行うときにたいへん利用価値の

高い資料室といえる。

神奈川県ライトセンター

沿革

　昭和三〇年一二月の日本赤十字社神奈川県支部内における愛の赤十字文庫（点字図書）の貸出開始から、四〇年五月開館の神奈川県点字図書館時代を経て、四九年八月、設立された。県内の視覚障害者に対して、点字・録音図書などの情報提供、各種の相談・指導、視覚障害者へのボランティアの育成・指導などを目的として、神奈川県が設置し、日本赤十字社神奈川県支部が運営を委託された施設である。平成三年二月、視覚障害者の様々なニーズに応え、社会参加への一層の促進と相互交流の場を提供するために再整備が決定し、五年一〇月一日、これまでの機能の拡充とともに、新たにスポーツ振興機能を加えて、新センターがオープンした。

現況

　敷地面積は九〇七八・六八平方メートル、建物（床）面積は六五四〇・九七平方メートルである。本館棟と体育館棟に分かれ、本館棟は三階建てで、一階は管理部門、二階は指導訓練部門、三階は情報提供部門となっている。

　当センターは、相模鉄道線「二俣川駅」から徒歩一五分のところにあり、全体の職員は平成一二年三月末日現在で三三人、このうち図書館業務を行なう図書館課は九人である。

㊟〒241―8585　横浜市旭区二俣川一―八〇―二
㊫〇四五―三六四―〇〇三三
Ⓕ〇四五―三六四―〇〇二七
Ⓗhttp://plaza22.mbn.or.jp/˜light-center/
㊐午前九時三〇分～午後四時三〇分（火～日曜日）。
㊡月曜日、祝日、月末、年末年始。
㊒無料。

所蔵資料

蔵書はセンターの性格上、点字図書（平成一一年度末現在、一万一〇一タイトル、四万一九二二巻）、録音図書（同上現在、五、〇〇二タイトル、六万五六八七巻）が主で、一般図書は点訳、録音に際しての人名、地名の読みなどを調べるための人名事典、地名事典などの参考図書に絞られている。本館三階が図書館部門となっており、閲覧・資料室、対面サービス室、録音室、編集室、プリント室、オーディオラウンジ、事務室、書庫がある。平成一一年度の利用登録者は二五九六人、点字・録音図書の貸出は、九五六五タイトル、六万七六九三巻となっている。

神奈川県立衛生短期大学図書館

沿革――――――

同短大は昭和四二年、衛生看護科単科で開設され、四四年、衛生技術科を増設した。

現況・蔵書――――――

図書館は建物の二階にあり、蔵書冊数は平成一二年三月末現在で、三万五四六九冊である。また、蔵書内容については医学・衛生学関係に特長がある。

コレクション――――――

コレクションとして、横浜生れのコラムニストであった青木雨彦氏（一九三二～九一）寄贈の人文科学を中心とした文庫がある。

利用については、特に一般開放はしていないが、来館は認められる。

㊟〒241―0815　横浜市旭区中尾一―五―一
㊫〇四五―三六一―六一四一
Ⓕ〇四五―三六二―八七八五
㊌相模鉄道二俣川駅から徒歩一五分。
㊐午前九時～午後五時（月～金曜日）。
㊡土・日曜日、祝日、年末年始、特別整理期間。

神奈川県立栄養短期大学図書館

沿革

栄養学を専門に学び、栄養士の養成を主眼においた県立の短期大学として昭和三九年に創立。保土ヶ谷の丘の上の静かな環境にあり、学生数約二六〇名とキャンパスにはアットホームな雰囲気が漂う。

図書館は、正門を入って右側の木立ちの中の独立した建物である。全蔵書約三万四〇〇〇冊のうち、食物・栄養分野で三分の一近くを占めている。また、自館受入の逐次刊行物掲載の栄養学および食生活関係の論文をカード化した「栄養学関係論文目録」も作成されている。

コレクション

コレクションとして、「栄養学文庫」がある。これは、元国立栄養研究所長で、一九六七年から栄養短期大学教授も務めた有本邦太郎（ありもとくにたろう）の遺族から寄贈された食物・栄養学関係の文献を核にして、構築されているものである。昭和一〇年代から四〇年代くらいまでのものが集められている。その後図書館が選定してコレクションを拡充しており、現在では約六〇〇点ほどになっている。冊子体の「栄養学文庫図書目録」が一九八八年に刊行されている。閲覧も可能である。栄養短期大学図書館は、食物、栄養学関係の資料を必要としている人なら学外者にも公開しており、住所の確認ができれば館外

㊟〒240—0011　横浜市保土ヶ谷区桜ヶ丘二—四三—一
㊕〇四五—三三一—〇九八八
Ⓕ〇四五—三三三—九四一一
㊋JR保土ヶ谷駅から徒歩十五分、相模鉄道星川駅から徒歩七分。
㊐午前八時四〇分〜午後五時（月〜金曜日）。
㊡土・日曜日、祝祭日、年末年始、蔵書点検期間、創立記念日（四月一九日）。

貸出も受けられる。コピーサービスも可能である。

神奈川県立外語短期大学図書館

沿革

語学力を習得し、国際感覚を持った人材を育成する県立短期大学として昭和四三年創立。磯子区岡村の丘の上にあり、学生数二三〇名。卒業生の語学能力には実業界から高い評価があるという。

所蔵資料

図書館は、蔵書数四万二〇〇〇冊。語学、英文学関係の分野で約四割となっている。当然英語の原書も多い。

コレクション

特別コレクションとして「英学文庫」がある。外語短期大学で教授を務めた小林高四郎から寄贈を受けた明治、大正、昭和一〇年代までの英学関係資料である。一九七八年創設。

小林高四郎は、一九〇五年新潟生まれ。慶應義塾大学文学部卒業。横浜国立大学で教授を務めたあと外語短期大学で教鞭をとった。一九八七年没。専攻はモンゴル史、モンゴル語で東西文化交流史などの分野での業績がある。

「英学文庫」には、翻訳本、研究書、教科書、辞書、日本文学の英訳書などが含まれ、とくに、言文一致体で訳された最初のシェークスピアである「沙翁全集」一～八，一〇（戸沢姑謝・浅野馮虚共訳、大日本図書、一九〇五～一九〇九）など貴重な資料も多い。冊子

㊟〒235―0021 横浜市磯子区岡村四―一五―一
㊫〇四五―七四一―九九四一
Ⓕ〇四五―七二一―二八六八
㊫京浜急行弘明寺駅から徒歩二十分。横浜市営地下鉄弘明寺駅から徒歩十五分。
㊫午前九時～午後五時（月～金曜日）。
㊡土・日曜日、祝祭日、年末年始、図書整理日（九月上旬～中旬頃）、開校記念日（一〇月一一日）。

体の「英学文庫目録」がある。コレクションは、寄贈資料を核にして、その後図書館の選定分が加わり、現在は、一二〇〇点を越えている。館内での閲覧が可能。本図書館は、学外者への公開を早い時期から行っており、大学図書の公開のさきがけとなっている。

神奈川県立金沢文庫

沿革

当文庫は昭和五年八月八日、久良岐郡金沢町寺前字称名寺五六七番地（横浜市金沢区金沢町）に開館した。そのルーツは、亀山天皇の頃（一二六〇〜七四）鎌倉幕府の引付衆・評定衆などを勤めた北条実時の創建に遡る。実時は金沢の別邸内に称名寺を興したが、文庫は病のため金沢六浦に隠退した建治元年（一二七五）頃に始まると思われる。その後にも間断なく、典籍の書写、収纂がなされ、一種の公開図書館の役割をなした。仏典・漢籍など数万点におよび、歴史・神祇・文学その他多岐の内容をもつ。中世鎌倉で禅林と異なり、行学一体の活動をしたものとして極楽寺と金沢称名寺があったが、建武元年（一三三四）から称名寺では「華厳五散章」の講義が行われ、その時の講義ノートが「見聞衆」「聴衆記」などと呼ばれた。その頃から書写活動による称名寺所蔵本が「金沢文庫」と称されるようになった。

この建物（昭五）の建築にあたっては、当時の池田県知事が、昭和の御大典記念事業として、県民のための自治訓練所をつくろうとの構想をもち、また一方で、称名寺住持小林憲住による寺宝の保全についての考え方があった。この両者の意図が青年道場昭和塾の建設と旧金沢文庫の復興という両者一体の社会教育施設とすることに結実したものである。東京・博文館社長大橋新太郎の指定寄付金五万円と県費五万円の計一〇万円をもって、昭

㊟〒236−0015　横浜市金沢区金沢町一四二
㊫〇四五−七〇一−九〇六九
Ⓕ〇四五−七八八−一〇六〇
Ⓗhttp://www.planet.pref.kanagawa.jp/city/kanazawa.htm
㊇京浜急行金沢文庫駅下車徒歩一二分。金沢シーサイドライン海の公園柴口駅、海野公園南口駅から徒歩一〇分。
㊊午前九時〜午後四時三〇分（入館は四時まで）（火〜日曜日、祝日）入館は四時迄。
㊡月曜日（祝日は開館）、祝日の翌日、年末年始。
㊕有料。但し、図書室は無料。

和塾は文庫ヶ谷に、県立金沢文庫は称名寺境内の阿弥陀院跡に建設されたのである。「金沢文庫規則　第一条」では、次のように書かれている。

本文庫ハ史跡金沢文庫に収蔵セル典籍宝物ヲ襲継スルト共ニ、一般図書館トシテノ経営施設ヲナシ、図書館教育及図書選定等ノ研究機関タラシメ、兼ネテ昭和塾ニ於ケル訓育ヲ助成スルヲ以テ目的トス。

すなわち、本文庫は称名寺の典籍宝物の保管、かつ一般図書館として、さらに昭和塾の図書施設として利用させるために設置されたのである。

しかし、昭和塾が塾生を収容しないという方針変更から、開館早々、本文庫の運営方針が見直され、中世の文化研究を主とした特殊文庫として、かつ郷土資料の収集、調査を中核とした図書館の機能及び称名寺の文化財を保管展示するという博物館的機能を合わせ持った施設として発足したのである。入館料は当初、大人一〇銭、小人五銭であった。

その後、五〇年を経た昭和五〇年代後半ころから文庫移築の話が起り、旧来の場所よりやや離れた北条氏屋形跡に新館建設が行なわれ、平成二年八月工事が終了し、一〇月二四日、新館会館記念式典が行なわれ、同二六日より一般公開された。

場所は京浜急行金沢文庫駅から徒歩一二分、金沢シーサイドライン海の公園芝口駅、海の公園南口駅より徒歩一二分のところ（旧社会教育会館の跡地）にあり、称名寺に隣接している。

所蔵資料

本文庫は昭和二九年の県立図書館の開館まではその役割を併せもち、戦時中には「神奈川県貸出文庫」などの事業を行っている。この貸出文庫の図書のうち、一五六〇冊は五四年に県立図書館に移管され、「戦時文庫」として再整理されている。そして、三〇年五月からは博物館法にもとづく公立博物館として運営されることとなり、図書館との二面性は解消された。地下一階、地上二階建ての建物内には、図書約五万冊の他、古書、古文書、美術工芸品など国宝、重要文化財を含め貴重な資料および雑誌一四七三タイトル（平成一二年三月末現在）を収蔵する。

刊行物

刊行物としては、「金沢文庫古文書」、「金沢文庫蔵神奈川県郷土資料目録」、「神奈川県立金沢文庫蔵書目録」、「金沢文庫図録・絵画篇」、「金沢文庫資料全書」、「金沢文庫名品図録」などがあり、また、逐次的なものとしては、「金沢文庫研究」、「金沢文庫研究紀要」（昭和三六年～五一年）などがある。また、特別展示や特別講演会が随時開催されている。

図書室は建物の二階にあり、閲覧席は八席である。また、蔵書内容は中世日本の歴史と文化が主となっている。貸出はしていない。

コレクション

兼好・徒然草関係コレクション　金沢文庫・称名寺を訪れたと伝えられる兼好法師にちなみ収集。徒然草諸本（古写本・版本）を中心に古文書、絵画および参考文献からなる。光悦本、慶長古法字本など貴重書が多く、兼好自筆の懸紙（封筒）を所蔵することでも知られる。創設は昭和五年、点数は約二〇〇点。「神奈川県立金沢文庫目録　兼好・徒然草諸本編」が昭和四九年に刊行されている。

金沢文庫・称名寺資料　金沢北条氏の四人を描いた四将像（国宝）を筆頭とする絵画、彫刻、宋版一切経（重文）などの中国・宋からの輸入品、「金沢文庫」の印が押された金沢文庫本を含む約一万三〇〇〇冊の古書、金沢北条氏や称名寺の僧たちの書いた手紙などの古文書を収蔵。

神奈川県郷土資料　「鶴岡八幡宮鐘銘」の拓本や金沢八景の錦絵など、神奈川県・横浜・金沢の地域史に関する絵画、錦絵、近世資料を収集。創設は昭和五年。

南葵文庫　日本の中世史を専攻し、明治大学、国学院大学などで教鞭をとった大森金五郎氏（慶応三年〜昭和一二年、号南葵）の旧蔵書で、国史関係を主とした約四〇〇〇冊。創設は昭和一二年。「南葵文庫目録」が昭和一六年に刊行されている。

明治憲法資料　「大日本帝国憲法」の起草者の一人であった伊藤博文（一八四一年〜一九〇九年）は金沢に別荘を持ち、憲法起草にあたると共に、金沢文庫の復興にも尽くした。そして、憲法の草案に用いた法律書を称名寺に寄贈した。和書一五二冊、洋書一五一冊で、「伊藤博文旧蔵法律書寄贈目録」が「三浦古文化」第五号に収載されている。

コレクションの利用については、閲覧不可のものもあるので事前に照会した方がよい。

神奈川県立公文書館

〒241―0815 横浜市旭区中尾一―六―一
☎〇四五―三六四―四四五六
Ⓕ〇四五―三六四―四四五九
Ⓗhttp://www.pref.kanagawa.jp/osirase/02/0219
㊋相鉄線二俣川駅より徒歩一七分。バス運転試験場下車。
㊡月曜、祝日、年末年始。特別整理期間。
㊋午前九時～午後五時。
㊓閲覧可、貸出しは不可。
㊡可。

沿革――

組織、施設ともに全国有数の規模をほこる神奈川県立公文書館もその誕生までには長い道のりがあった。

昭和四二年四月から神奈川県は県政百周年を記念し「神奈川県史」の編集を開始した。その編集の過程で収集された資料を保存し、広く県民に公開する目的で昭和四七年八月に開館されたのが神奈川県立文化資料館であった。文化資料館ではそれらの歴史資料とともに公文書の収集、公開も行なっていた。神奈川県においてはこの文化資料館が公文書のセンターの役割を長く果たしていた。

しかし昭和五一年一二月に「神奈川県の地方資料・公文書を守る会」から「県立文書館設置等について請願」、昭和五四年には「神奈川県の地域資料・公文書を守る会」から「県立文書館を設置し、神奈川県の古文書と公文書の収集・保存・利用を進めることについての請願等について請願」が提出されるなど公文書館建設の要望が続いた。これを受け神奈川県では昭和六〇年から文書館設立にむけ検討を開始、昭和六二年には「公文書館構想懇話会」が発足、六二年「第二次新神奈川計画」のなかには公文書館整備が明文化され、平成五年一一月全国で二一番目の文書館として神奈川県立公文書館は誕生した。

神奈川県立公文書館には「神奈川県立公文書館条例」のもとに公安委員会の文書をのぞ

く県のすべての保存文書のなかから歴史的価値のある公文書が集められている。

神奈川県においては県庁各課の文書は各主務課で一年間保管されたのち文書主管課に引き継がれ、三、五年保存文書はフォルダーのまま、一〇、三〇年保存文書は簿冊の形で庁内において保存される。そして三、五年保存の文書は保存期間が満了した後公文書館に引き渡される。

また一〇、三〇年保存文書は各主務課で一年、さらに文書主管課で四年間保存された後、公文書館の中間保管庫に引き継がれ、ここで保存期間が満了するまで保管される。この中間保管庫の制度は日本ではきわめて珍しいものである。この制度によって神奈川県立公文書館は県の公文書の全体像を把握することができ、また長期保存の公文書の紛失を完全に防ぎ、職員は必要な現用文書（公文書館で保管しているが籍は各主務課にある文書）をいつでも正確に閲覧できることが保障されているのである。これら長期保存文書もまた保存期間満了後は公文書館に引き渡される。

所蔵資料

神奈川県立公文書館においては引き渡された三、五、一〇、三〇年保存の文書は公文書館職員によって選別基準に沿って選別され、歴史的価値のあるもの全体の約四%が公文書館で保存されることになる。

神奈川県立公文書館ではこれらの公文書類収集のほかにも鎌倉期からの約一二万点におよぶ古文書、行政刊行物・図書、その他の資料（フィルム写真類、雑誌等）の保存も行なっておりこれらの中には貴重なコレクションが多く含まれている。

「神奈川宿本陣石井家資料」は江戸時代に東海道の神奈川宿の本陣をつとめた石井家に伝わっていた文書類である。これらのなかには享保二年から弘化四年にかけての「御休泊記録」がありこれは近世の交通史、当時の本陣の様子を知る上で貴重な資料である。ほかにも「神奈川町検地水帳」など当時の記録が多く含まれている。

「神奈川県特高関係史料」は昭和初期の神奈川県特別高等警察課の旧蔵資料である。当時の陸海軍関係資料、国家主義運動資料、朝鮮・中国、桜田門事件関係資料、左翼運動にたいする内偵資料、治安関係資料など各種の報告書が含まれている。

「土地宝典」は市役所、町村役場にある公図と土地台帳を合体し地図形式にして刊行されたもので戦前期の神奈川県下を知るために貴重なものである。

「官員録・職員録」は現在は大蔵省印刷局から毎年刊行されている「職員録」の前身で、官許により出版された民間出版社のものや政府刊行のものなど、明治期から今日までのものがあり、中央・地方官庁の組織、人事を知る上で必須の資料である。

「山口コレクション」は山口八十八（一八七四〜一九六三）より寄贈された資料である。山口八十八は栃木県に生まれ、横浜市内に帝国社食品工場を新設、これがのちに帝国臓器製薬となった。コレクションは明治維新関係人物の書簡を中心とした史料であり慶応三年二月の坂本龍馬から三吉慎藏あてに出された後藤象二郎を推薦する書簡、佐久間象山が幽閉生活の中から甥に送った書簡などが含まれている。

文書資料ではないが、貴重なものとして**「マリア・ルス号事件の大旆《たいはい》」**がある。旆とは旗のことである。マリア・ルス号事件とは明治五年横浜港に入港中のペルーの貨物船から奴隷状態で使役されていた中国人が逃亡した事件で、その引渡しをめぐり日本が開国以来初めて本格的な外交事件に巻き込まれた記念すべき事件であった。その際の日本政府の人道的行為に横浜在留の中国人から感謝の意をこめて外務卿の副島種臣と神奈川県権令大江卓に贈られたものである。

収蔵の歴史資料として重要な公文書、古文書等の記録類は一階の座席三一席の閲覧室で見ることができる。出納の検索ツールはカード目録、冊子目録の他コンピュータ端末からも検索できる。身近な任意の言葉から検索できる「自然語検索方式」が導入されている。

神奈川県立図書館

神奈川県における図書館の設置、発展の歴史は他県のそれと比べて先行したものでも、また順調なものでもなかった。明治一〇年の「文部省第四年報」の『公立書籍館ノ設立ヲ要ス』の公布、また明治二〇年の大日本教育会による付属図書館の開館に刺激されて始まった全国の地方教育会図書館の設置の動き、さらには明治三二年の独立法としての『図書館令』の公布といったいくつかの時代のムーブメントのなかでも神奈川県においてはほとんど何の動きもなかった。

それが、ようやく見るべき動きを始めるのはそれよりずっと遅く日露戦争後のことで、全国的に青年団活動が活発化してきて、その中からようやく生まれたのが明治三九年設立の「麻溝日露戦役戦勝記念図書館」や、それに続く「三浦郡教育会図書館」、「新磯小学校児童図書館」、「小田原報徳文庫」などであった。それ以後は県下各地に徐々に小図書館が誕生してくるようになった。大震災の復興も進んだ昭和三年三月八日には「神奈川県図書館協会」が設立され、当時県下の図書館数は公立私立あわせて三四館であった。昭和五年には御大典記念「神奈川県立金沢文庫」が設立され、図書館、博物館両方の機能を兼ね備えた施設として神奈川県内の図書館の中枢として以後活動していくこととなる。

昭和八年に「図書館令」の改正と「公立図書館職員令」の公布が行なわれ、そのなかで各県に中央図書館の指定が義務づけられた。これは直接、都道府県図書館の設置を義務づ

㊟〒220―8585
横浜市西区紅葉ヶ丘九―二
㊤〇四五―二四一―三一三一
Ⓕ〇四五―二四一―〇九八五
Ⓗhttp://www.klnet.pref.kanagawa.jp/
㊜JR京浜東北線・東急東横線桜木町駅・京浜急行日の出町駅下車徒歩一〇分。
㊡月曜日、祝日（一部開館）、第二木曜日、年末年始、特別整理期間。
㊎午前九時～午後七時（火～金曜日）。
午前九時～午後五時（土・日曜日）。

けたものではなかったが「義務」内容は明らかに都道府県図書館の機能をいうものであったので、実質的には都道府県図書館の設置が義務づけられたものといって間違いではない。この時点で全国で県立図書館が未だ設置されていないのは神奈川県をふくめ、すでにわずか一四県のみであった。

そしてようやく神奈川県において県立図書館設立の動きが始まるのは昭和九年、当時の神奈川県図書館協会長大久保住吉から神奈川県知事にだされた建議書「図書館振興に関する件」からである。

これ以後もこのような運動はたびたび起きたもののなかなか成果は実らず、やがて時代は戦争期にはいってしまい、立ち消えになってしまう。

戦後昭和二二年三月には県下の図書館関係者が集まり神奈川県図書館協会が再発足した。翌年県は神奈川県図書館協会に「神奈川県中央図書館設置の件」を諮問し、それに対し神奈川県図書館協会は次のような答申をした。

1　県立図書館を至急建設して中央図書館の指定を受けること
2　第一案を前提のもとに、暫定的措置として当分金沢文庫を指定し、同時に相当経費をもってその充実を計ること
3　第三案として、市立横浜図書館を指定すること。ただし、この際も相当経費を計上して一段とその充実を計ること

しかし様々の曲折ののち県が採用したのはなんと第三案であった。ここに昭和二四年一

月一日正式に横浜市図書館が神奈川県の中央図書館と指定されるに至り、県立図書館の設置はまたも見送られることとなった。この中央館指定を受けた横浜市図書館は県立図書館の機能たる「県下図書館職員の養成、講習」、「県下図書館の各種総合目録の刊行」、「神奈川県図書館報の刊行」、「研究集会の開催」等の事業を代行することとなった。

そして昭和二五年四月「図書館法」が公布され、全国的に図書館設立の気運が高まり、神奈川県図書館協会の「県立図書館設置に関する陳情書」をうけた県はついに県民の意向をくみとり、講和記念事業の一つとして、音楽ホールを併設した県立図書館を建設することを決定したのである。昭和二九年五月二五日には「神奈川県県立図書館開設準備事務局」が設置され、一〇月一日には「神奈川県立図書館」が正式に発足、一一月四日に開館記念式典を挙行し、一一月一〇日からは一般閲覧業務を開始するに至ったのである。

この神奈川県立図書館の誕生は全国で最後から二番目、この時点で未だ県立図書館を擁していない自治体はわずかに兵庫県を残すのみであった。

現況

神奈川県立図書館の建設は隣接する県立音楽堂とともに前川国男の設計になり、同氏の代表作品であるとともに戦後日本建築の代表作品のひとつに数えられている。先年県により紅葉ヶ丘地区施設の再編整備の計画が起こり、神奈川県立図書館の改築も話題となった際には日本建築学会をはじめとする各界からの保存運動がおきた。当館には今だに建築学を学ぶ学生の訪問が絶えない。地上二階地下一階建て建物面積は二九八八平方メートルである。隣接して地上四階地下三階建物面積八三八〇平方メートルの図書館新館（旧文化資料館）がある。

正面玄関受け付けを入ってすぐのところにはロッカー室があり、バック類袋類は館内に持ち込めないのでここに預けることになる。

本県立図書館は閲覧室が概ね部門別となっている。本館一階にはNDC0門の総記部門、三門の社会科学部門と六門の産業部門が排架されている「社会科学、産業室」がある。一、二階吹き抜け全面ガラス張りの窓外の植生は開館以来時間もたち木々の一本一本が育ち、雑木林の風情がある。四季折々の風景は研究、学習に疲れた目に新鮮で利用者にもよろこばれている。

この部屋には他に貸出、返却と書庫内資料の出納を行なう中央カウンター、および専用端末八台がある。カウンター近くには別置資料として白書類、旅行ガイドブックのコーナーがある。

同じ一階に、口頭、電話、文書（平成一二年三月からはインターネットによるレファレンス・メールでも受け付けている）での各種レファレンスを受け付ける「調査相談室」がある。各種参考図書類に加え、法令やビジネス関連の特設コーナーがある。調査相談室では神奈川県立図書館独自の資料検索ツールとして「伝記資料索引」と「文学叢書索引」を作成している。「伝記資料索引」は県立図書館蔵書のなかの個人伝記情報を個人名から検索できるものである。「文学叢書索引」は県立図書館が所蔵する全集や合集のなかの小説、戯曲を個々の作品名から検索できるものである。本館内資料の複写サービスの受け付けはこの調査相談室で行なわれている。

二階には四、五門の理工学部門（この分野は県立川崎図書館が主に収集している）および一門の哲学・宗教部門、八門の語学部門を収容した室、七門の芸術部門の「芸術室」、二門の歴史・地理、九門の文学部門が置いてある「人文科学室」がある。

二階には視聴覚障害の対面朗読のための「障害者サービス室」もある。

隣接する新館一階には図書館資料を使用しない席利用者のための「学習室」とAVサービスを行なう「視聴覚センター・ライブラリー」がある。同ライブラリーには県立音楽堂の建設を推進し運営協議会会長を長くつとめ、昭和六三年に亡くなった高名な音楽評論家野村光一氏の遺族から寄贈された、半分を貴重な洋書が占める図書類、レコード、音楽プログラムなどからなる「野村光一コレクション」がある。また映画・音楽評論家の日野康一氏から寄贈された映画音楽レコードを中心とした「日野コレクション」、音楽評論家で指揮者でもある大宮真琴氏から寄贈されたSPレコードの「大宮コレクション」、またCD登場以来徐々に姿を消しつつあるアナログLPレコード、SPレコードを県立図書館が独自に収集した六万枚以上のコレクションがある。また神奈川県視聴覚教育連盟の事務局も同ライブラリーにおかれている。新館三階には「新聞・雑誌室」と「国際資料室」がある。「国際資料室」にちなむコレクションとしては旧横浜アメリカ文化センターの閉鎖にともない移管されたアメリカの歴史、文化等を紹介することを目的に収集された図書を内容とする「ACC文庫」、フェリス女学院の二代目校長ユージン・S・ブースの長男として長崎に生まれ、日本の水産、農業などの産業に多大の貢献をされたフランク・ステレ・ブース氏の旧蔵書「ブース文庫」がある。

新館四階には神奈川の郷土資料を集めた「かながわ資料室」がある。「かながわ資料室」では歌人として、作歌に短歌ジャーナリズムにと活躍した尾崎孝子氏の旧蔵書である現代歌人の歌集を中心とした「尾崎文庫」、時津佳正氏の収集した日本語で書かれた韓国、朝鮮関係資料からなる「韓国朝鮮文庫」、江戸後期に小田原に生まれ農政家として知られた二宮尊徳（金次郎）の著書と二宮尊徳研究書を集めた「報徳教関係資料」などを所蔵している。

神奈川県立図書館のコレクションとしては他に全国の県市町村が刊行している公刊地方史を集めた「全国市町村史資料」、第二次世界大戦時に文部省の指導により戦意高揚のため神奈川県が行なっていた貸し出し文庫の旧蔵書を中心とした「戦時文庫」（別名「戦犯図書」）、明治以降百二十年にわたるベストセラーを集めた「ベストセラーズ文庫」がある。

刊行物

おもな刊行物として館報である「神奈川文化」（年二回）、協力課が編集刊行していて県内図書館との協力連携を目的に刊行されている「こあ」（隔月刊）、郷土史研究誌「郷土神奈川」（年一回）、職員の研究の成果である「神奈川県立図書館紀要」（不定期刊）などがある。

神奈川県立の横浜、川崎の二図書館が開発し、一九九一年から本格稼働していたKL―NET（神奈川県図書館情報ネットワークシステム）は二〇〇〇年を迎えて、新システムを三月から稼働、インターネット対応が可能となった。個人のパソコンからも、所蔵資料の検索が行えるほか、調査依頼を電子メールで送ることもできることとなった。市町村図書館の他、県機関など一〇二の機関からは、所蔵資料を予約することができる。市町村図書館へは、協力車、宅配便を利用した流通システムを使用することにより、希望の資料が届けられるしくみとなっている。またKL―NET参加館が他の館に所蔵調査を依頼する電子掲示板「WANTED」という機能もある。平成一一年度中にはこの機能に約八万冊の調査が寄せられ、このうちの約六万冊が提供された。

神奈川県立歴史博物館

沿革

横浜市中区の馬車道に面して立つ神奈川県立歴史博物館の建物はそれ以前は東京銀行の横浜支店として使用され、さらにその前は日本を代表する銀行、横浜正金銀行の本店であった。横浜正金銀行の開業は明治一三年と古い。大正期にはチャータード銀行、上海香港銀行とともに世界三大為替銀行の一つに数えられた。現在のドイツルネサンス様式の豪壮な建築は明治三二年から五年の歳月をかけて建設されたもので、設計者は明治建築界の三大巨頭の一人、工学博士妻木頼黄《よりも》、現場監督はこれも有名な技師工学士遠藤於菟《おと》であった。その後大正一二年の関東大震災において、火災により大きな被害をうけ、周辺一体、建物内部でも多数の焼死者がでた。この時玄関ドームも失った。

この建物を昭和三九年に神奈川県が買収。同三九年四月には博物館準備事務局が設けられ、昭和四一年一一月には博物館設置条令も採択された。

博物館開館に際しては隣接して三階建ての新館を増築、内部も全般にわたって大きな改装が加えられた。また関東大震災によって失われていた正面玄関ドームが復元された。昭和四二年に自然と文化の総合博物館「神奈川県立博物館」が開館、昭和四四年にはわが国の代表的な明治洋風建築として「正面玄関広間以外の内装を除いた」旧館全館が国の重要文化財に指定された。当時近代建築としては神奈川県内唯一の指定であった。

㊟〒231―0006 横浜市中区南仲通五―六〇
㊫〇四五―二〇一―〇九二六
Ⓕ〇四五―二〇一―七三六四
Ⓗhttp://web.infoweb.ne.jp/KANAGAWA-MUSEUM/
㊋JR京浜東北線、東急東横線桜木町駅から徒歩八分。
㊡月、第四火曜日。
㊑午前九時三〇分〜午後五時。
㊓有料（但しライブラリーのみの利用は無料）。
㊖可。

現況

平成七年には自然史部門が小田原市入生田に「生命の星・地球博物館」として分離独立してオープン、現在の人文系「神奈川県立歴史博物館」が誕生した。

神奈川県立歴史博物館は各時代を象徴する展示品の飾られた導入展示室、年数回の展示替えを行なって常設の展示室ではみられない収蔵品を公開するコレクション展示室（ここは入館料無料）、そして神奈川県に特徴的な、時代ごとの五つのコンセプトをもった常設総合テーマ展示室からなっている。

展示

さがみの古代に生きた人びと（旧石器時代～平安時代）の展示室には相模野台地を中心とした旧石器時代遺跡をはじめとした集落址、貝塚、古墳といった神奈川県内の七五〇〇ヵ所に及ぶ遺跡、なかには全国的にも珍しい三浦半島海蝕洞窟遺跡群などの遺跡の数々から発掘された遺物をはじめ、現在の海老名市にあったとされる相模国分寺の七重の塔をはじめとする堂宇の模型などが展示されている。

都市鎌倉と中世びと（平安時代末期～戦国時代）の展示室では鎌倉に幕府があった時代、中世の頼朝の開幕から北条氏の時代、幕府滅亡ののちの戦国時代の小田原後北条氏の関東支配の時代の資料が展示されている。「源頼朝袖判下文」、後北条家の「朱印状」といった文書類や、鎌倉武士の日常生活を知ることのできる、鎌倉今小路西遺跡をモデルとした館模型や市内小町から出土した箸、しゃもじ、下駄や北条氏により築港された和賀江島や武蔵金沢国の六浦津を窓口にくりひろげられた対宋、対明貿易によってもたらされた青磁、白磁といった中国陶器や漆器といった唐物の文物、またそれらとともにわが国にもたらされた鎌倉に多い禅宗寺院、法然、親鸞、一遍の浄土系教団、栄西、道元の禅宗、日蓮の法華宗といった鎌倉新仏教関連の資料。仏師快慶が創りあげた安阿弥様式の阿弥陀如来像、南北朝時代の画像である一遍上人像、南北朝時代の両全の筆になる釈迦三尊像などがある。

近世の街道と庶民文化（江戸時代）の展示室では江戸時代の神奈川県域の武蔵国三郡、相模国九郡の暮らしと文化を紹介する。神奈川県内には「東海道」、「甲州街道」をはじめ、脇街道として「矢倉沢往還」、「中原道」や湯治客が通う箱根の「温泉道」、農耕神、航海安全の神として信仰を集めた雨降り山の別名をもつ大山をめざす「大山道」、江ノ島参詣の「江ノ島道」、鎌倉の寺社参詣の「鎌倉道」、金沢八景に向かう「金沢道」など多くの街道があった。なかでも箱根芦ノ湖畔にあった箱根関は名高かった。箱根関は小田原藩の管轄でそこでは「入り鉄砲出女」をとくに厳しく取り締まった。江戸に入る鉄砲と国元に帰る大名の婦女子を特に詮索したのである。湯治、参詣、遊山は江戸の庶民にとっては大きな楽しみであった。神奈川県内には箱根、鎌倉、江ノ島、金沢八景、大山といった名所が数多くあり江戸から近いこともあり多くの人たちが訪れた。それにともない多くの道中記や浮世絵も生まれた。また当時の村の生活を知るための資料として江戸中期の鎌倉市手広の名主、内海家の住宅模型がある。当建築は現在は市内二階堂の覚園寺境内に移築保存されており、県の重要文化財に指定されている。

横浜開港と近代化（幕末〜明治時代）の展示室ではペリー来航から、横浜開港、開国といった近世から近代へかけての神奈川県の歴史を紹介する。嘉永三年（一八五三）ペリーが艦隊を率いて開国を迫って来航したのは現在の神奈川県横須賀市の浦賀の地であった。このことを機に一七世紀半ばからの長い鎖国体制を守り続けた幕府も和親条約を締結せざるをえなくなり、その時の開港場のひとつが横浜であった。当初開港場として求められたのは東海道筋の神奈川宿の地であったが、その頃は寒村横浜も神奈川の一部であるというのが幕府の強引な言い分であった。その後の各開港場への海外の文化の激しい移入については言うまでもなく、とくに横浜は江戸に近いこともあり港から遠い地域にまで外国文化が流入し、神奈川県下各地の自由民権運動の高まりも、外国からの民主主義思想の影響と無縁ではない。

また当時の人々の海外からの異文化に対する好奇の目をよく表しているものに「横浜浮世絵」がある。外国人居留地に繰り広げられる外国人の習慣、生活また異人の風貌などに人々は目を見張り横浜見物のみやげにまた遠隔地では情報メディアとして当時爆発的な人気を呼んだ。そのはじめは万延元年の二月で開港からわずか半年しかたっていない。神奈川歴史博物館が誇る「丹波コレクション」にはこれらの名品が多く含まれている。丹波恒夫（一八八一〜一九七一）は山形県生まれ。立教学院卒業後渡米、帰国後、大和商会支配人を経て独立、絹織物輸出商「丹波商会」を横浜に創立し、事業のかたわら浮世絵を収集、数十年かけてわが国有数のコレクションを作り上げた。そのコレクションの核をなすものは初代歌川広重とその一門の作品である。変わり摺り、異版ももれなく収集されている。氏は一九六五年には神奈川文化賞を受賞、神奈川県立博物館から『丹波コレクション目録一〜三』が刊行されている。

また同展示室ではこの建物のかつての所有者である横浜正金銀行（現東京三菱銀行）の社史も紹介している。

現代の神奈川と伝統文化（大正—昭和時代）は関東大震災以降の神奈川県とその時代に大きく変ってきた人々の暮らしや神奈川県の伝承、伝統を紹介する展示室である。

関東大震災とそれにともなう火災では神奈川県内で多くの人命が失われその被害は神奈川県立歴史博物館の建物の中でも起きた。

また首都に隣接する神奈川県は戦前は横須賀、相模原台地の陸海軍施設や臨海工業地帯の軍需産業に代表される軍事施設、そして戦中はそれらに対する米軍の爆撃による徹底した破壊、そして戦後は連合国軍の占領のなかでの廃墟から復興とめまぐるしく変貌してきた。

そのような時代のなかで伝統的な村や町の生活も大きく変わってきている。今では失われつつある社会組織としての祭祀組織、各種の講や暮らしのなかの信仰、さらに農耕等の生活機具、現在に伝わる箱根、小田原地区の箱根細工、鎌倉彫りといった伝統工芸がここで紹介されている。

かつての正金銀行の正面入り口ドームを入ってすぐの場所には「ミュージアムライブラ

リー」（入館料無料）がある。これは博物館を生涯学習の拠点と位置づけ、展示活動だけでは学習も受け身になりがちであること、県民に博物館を積極的に利用してもらい、博物館はその自主学習を支援するという考えから設けられたものである。ここには来館者からの展示品についてなどをはじめとした各種の疑問、質問に対する回答をするためのレファレンス担当者が配置されている。レファレンス担当者は簡単な質問にはライブラリーに配架されている資料を使って調査回答する。さらにより高度な質問には各分野の専門学芸員に取りついでもくれる。さらに利用者が持参した各種歴史資料等についても調査してくれる。室内にあるハイビジョンによる情報システムでは浮世絵などの収蔵資料の検索ができる。また歴史や文化に関連したビデオテープの視聴コーナーを利用できる。

神奈川大学図書館

沿革

昭和三年、横浜市桜木町に開学した横浜学院を母体とする。同四年、横浜専門学校となり、二四年、学制改革により神奈川大学となった。キャンパスは横浜と平塚と二つある。主体は横浜キャンパスで、法・経済・外国語・工学部と二部がある。なお、平塚キャンパスには経営学部と理学部がある。

図書館の建物（横浜キャンパス）は地上三階、地下二階建てで、蔵書冊数は平成一二年三月末で五八万四〇〇〇冊である。また、平塚には平塚図書室がある。

現図書館は昭和五五年に建設されたが、総合大学の図書館として、近年の電子媒体等資料の多様化、学内LANへのOPAC画面の開放、学生の利用形態の変化等に対応するため、平成七年度より改善を進めている。図書館の一階は開架閲覧室と雑誌閲覧室、二階は参考図書閲覧室と情報メディア室、三階は閲覧室、地下一階は視聴覚資料室とグループ閲覧室、地下二階は書庫となっている。一般の利用については、閲覧・レファレンス・コピーについて可能である。

コレクション

G・A・TH・オブライエン文庫　アイルランドのユニバーシティ・カレッジの経済学教授で、王立アカデミー副会長であったジョージ・オーガスティン・トーマス・オブライエ

㊟〒221—8686　横浜市神奈川区六角橋三—二七—一
㊁〇四五—四八一—五六六一
Ⓕ〇四五—四一三—三六四二
Ⓗhttp://www.lib.kanagawa-u.ac.jp/kolas/index.html
㊂東急東横線白楽駅、東白楽駅より徒歩一三分。
㊋午前九時～午後九時三〇分（月～土曜日）。午前九時三〇分～午後六時（日曜日、祝日）。

ン（一八九二〜一九七三）の経済学全般にわたるコレクション。

ドイツ労働組合諸資料集　一八〇〇年代後半から急激に興隆するドイツ労働運動、労働組合運動に関する資料で、一九〇〇〜二〇年代と西独で一九五〇〜七〇年代に出された文献を中心としている。

ドイツ連邦共和国成立史資料　第二次世界大戦後、東西両ドイツに分割され、連邦共和国として復興した西ドイツの成立史に関する行政、法律、経済を中心とした資料で、連合国管理理事会、各占領国軍政府の刊行物などを含む。

パリ・コミューン、普仏戦争期政治諷刺画コレクション　政治諷刺画と同時期に発行されたパンフレット・リーフレット類および新聞雑誌類で、マティス、フォスタンなどの多くの画家の作品が含まれている。

ワイマール期ドイツ経済危機資料　ワイマール期に活躍したミーゼス、ハイエク、リストなどの主要な経済学者の著作と同時期の危機からの脱出とその後の安定期に関する主要研究書がほぼ網羅されている。

レオナルド・シャピロ・コレクション　ロンドン大学の政治学教授であったレオナルド・パートランド・シャピロ（一九〇八〜八三）の収集したロシア・ソ連の歴史・文学・思想などに関するコレクションで、ロシア語の資料が主である。

マクシム・ヴィヨーム・コレクション　コミューン下のパリでジャーナリストとして活躍し、コミューン崩壊後スイスに亡命、インターナショナルのバクーニン派として活躍したマクシム・ヴィヨーム（一八四四〜一九二五）のコレクション。

山口文庫　一橋大学名誉教授で本大学経済学部長であった山口茂（一九〇三〜七四）の旧蔵書で、金融論を中心に、英仏の主要な経済学者の著作やフランスの社会思想書などから成っている。

関東学院大学図書館

沿革

本大学は明治一七年創設の横浜パプテスト神学校を源流とする。以後、中学関東学院の時代を経て、昭和二〇年に関東学院工業専門学校、二一年に経済専門学校が設立され、同二四年、学制改革により、経済学部・工学部の二学部をもって関東学院大学となった（現在は文学部、経済学部、工学部、法学部の四学部）。

現況

大学のキャンパスは六浦、釜利谷、小田原と三つある。中心の六浦キャンパスには経済学部、工学部がある。また、文学部のある釜利谷キャンパスは金沢区釜利谷南（金沢文庫駅よりバス一二分）、法学部のある小田原キャンパスは小田原市荻窪（JR東海道本線・小田急線小田原駅より徒歩一八分）にある。

図書館は本館が六浦に、分室、分館が釜利谷と小田原にある。

所蔵資料

蔵書冊数は平成一二年三月末日現在で、七五万一〇〇〇冊である。蔵書内容については、キリスト教神学関係に特色があるが、社会科学、工学、文学分野など、教科関連の資料についても力を注いでいる。一般の利用については、事前に照会を要する。

㊟〒236―8501　横浜市金沢区六浦町四八三四
㊫〇四五―七八六―七〇二三
Ⓕ〇四五―七八五―九五七二
Ⓗhttp://www.kanto-gakuin.ac.jp/
㊮京浜急行金沢八景駅より徒歩一五分。
㊑午前九時～午後九時（月～金曜日）、午前九時～午後七時（土曜日）。
㊡毎週日曜日、祝祭日、年末年始、夏期一斉休業期間（八月の一週間）、蔵書点検期間（三月下旬）、創立記念日（一〇月五日）。
㊐要事前連絡。

コレクション――――

イギリス古典経済学・哲学文庫　イギリスにおける一七世紀から一九世紀半ばにかけての経済学、社会思想、政治論などと、一七世紀から一八世紀にかけての道徳哲学、理神論、修辞学などのコレクションで、初版本が大半を占めている。四三二冊。

神学館文庫　キリスト教主義教育の精神に基づき、キリスト教関係の図書を集めたものである。聖書学、旧約学、新約学、キリスト教史学、組織神学など、一万四〇〇〇冊。

下村文庫　下村寅太郎（一九〇二～九五）は、東京教育大学名誉教授、日本学士院会員、文学博士。ライプニッツや科学史の哲学などの数理哲学研究者としてスタートした氏は、戦後、芸術の精神史的研究に専念、『ルネッサンスの芸術家』（日本学士院院賞受賞）など数々の作を著わした。『下村寅太郎著作集』（全13巻、みすず書房）がある。氏の旧蔵書のうち、和書の全て約一万一〇〇〇冊、氏の研究業績にふさわしく幅広い分野の書を収める。洋書については、関西学院大学図書館が所蔵する。

加茂儀一文庫　日本科学史学会会長、小樽商科大学学長、本学教授を歴任した加茂儀一氏（一八九九～一九七七年）の旧蔵書で、産業史、科学史、家畜史、食物史などを総合した文化史関係を主として、哲学、思想、芸術、文学におよぶコレクションである。四三三二冊。

原佐文庫　原佐氏（一九一六～六七）の旧蔵書で、ニーチェおよび実在哲学に関連した基本資料三八五七冊。

コレクションの利用については、事前に照会を要する。

慶応義塾大学日吉メディアセンター・理工学メディアセンター

現況

神奈川県内に三ヵ所ある同大学のキャンパスのうち二ヵ所は、横浜市港北区の東急東横線日吉駅近くにある。六学部の一、二年次生が学ぶ日吉キャンパスと理工学部の三、四年次生が在籍する矢上キャンパスである。それぞれのキャンパスに、「メディアセンター」という名称を使用するようになった図書館がある。

日吉メディアセンター

日吉メディアセンターには、総合教育科目や語学科目の基本資料をはじめとして、在籍する人文・社会科学系、自然科学系双方の学生のニーズに対応する学術書、一般教養書などが所蔵され、幅広い蔵書構成がとられている。ビデオテープ、CD等のAV資料も収集されている。図書約六五万冊、雑誌は約四五〇〇タイトルが所蔵されている。学外者の利用には、事前の照会と公共図書館等からの紹介状が必要である。

理工学メディアセンター

理工学部の前身は、一九三九（昭和一四）年に設立された藤原工業大学である。一九四四（昭和一九）年、慶応義塾に合併され、慶応義塾大学工学部となった。一九七二（昭和四七）年現在地に移り、その際に松下幸之助氏の資金援助を受けて理工学情報センターを

慶応義塾大学日吉メディアセンター
㊟〒223―8521
横浜市港北区日吉四―一―一
㊫〇四五―五六三―一一一一
Ⓕ〇四五―五六〇―一〇五九
Ⓗhttp://www.hc.lib.keio.ac.jp/index.html
㊂東急東横線日吉駅徒歩一分。
㊖要事前連絡。

慶応義塾大学理工学メディアセンター
㊟〒223―8522
横浜市港北区日吉三―一四―一
㊫〇四五―五六三―一一四一
Ⓕ〇四五―五六三―三四三三
Ⓗhttp://www.hc.lib.keio.ac.jp/Welcom-j.html
㊂東急東横線日吉駅徒歩一五分
㊖理工学研究者に限定。要事前連絡。

発足させた。現在では、理工学分野を中心とした図書約二八万冊、雑誌約二五〇〇タイトル（和一二〇〇、洋一三〇〇）を所蔵する私立大学では屈指の理工学専門図書館となっている。一九七一年から七八年にかけて日本科学技術情報センター（JICST・現科学技術振興事業団）から多数の科学技術関係専門雑誌の移管を受けたこともあって理工系専門雑誌のコレクションは大変充実している。また、ロシア語の理工学関係雑誌の収集も行われている。一九九三（平成五）年から現在のメディアセンターという名称となった。

学外者の利用は、理工学関係の研究者に限られている。事前に連絡をすることが望ましい。

慶応義塾大学全学のメディアセンターの所蔵資料はインターネットから検索することができる。（http://catalog.lib.keio.ac.jp/）（慶応義塾大学湘南藤沢メディアセンターの項参照186頁）

地球市民かながわプラザ（あーす・ぷらざ）

沿革

JR根岸線「本郷台」駅前の旧神奈川県消防学校の広い跡地に建設されたのが「地球市民かながわプラザ」である。施設の開館は平成一〇年二月。総館長は画家平山郁夫氏である。地上5階地下2階、敷地面積約二万五〇〇〇平方メートル、建築面積一万平方メートルをこえる広大な施設には「地球市民かながわプラザ」のほかに県の「自治総合研究センター」、㈶市町村振興協会の「市町村研修センター」、横浜市の「栄区民文化センター（通称「リリス」）」が入っている。「地球市民かながわプラザ」はその内、全体の広さの約六割を占めている。

「地球市民かながわプラザ」はその当初は「かながわ国際こども館・平和館」として基本計画が策定された。その名が示すとおりこどもたちが国際化を迎えた社会の中で豊かな感性をはぐくめるような環境を作り、さまざまな人々が集いながら「地球市民」としての意識を培い、平和な国際社会づくりを考えることに地域から貢献することをめざしており、そのための「場の提供」と「活動の支援」をその機能としている。

五階にはこどもを主な対象とした三つの展示室がある。

現況

『国際平和展示室』は今日の地球的規模での諸課題や国際協力、平和についての関心と共

㊟〒247―0007
横浜市栄区小菅ケ谷一―二―一
㊂〇四五―八九六―二一二一
Ⓕ〇四五―八九六―二二九九
㊋JR本郷台駅下車徒歩三分。
㊡月曜日（祝日は開館）。
㊐午前九時～午後五時。情報フォーラムは午前九時～午後八時（土・日曜日、祝日は午後五時まで）。
㊒有料（情報フォーラムは無料）。
㊗可。

感を深め、平和な国際社会の実現に向けて、地球市民意識を培うための展示室である。戦争をしていない状態の「平和」から一歩進んだ「積極的平和」をテーマに、一番身近な戦争である「一五年戦争」の、戦争への足どり、神奈川県民と戦争、戦争とアジアの人々、戦争によって残されたもの等を知るための展示がある。県民から寄せられた戦争の証言もある。

「地球的諸課題」展示は冷戦と核問題、冷戦後いまもつづく世界の様々な紛争、世界と日本のつながり、顕在化している南北問題、環境開発、人権問題などを考える展示である。「平和への道」では国連の役割と日本の国際協力、NGO等民間の協力などが紹介される。

『こどもの国際理解展示室』は世界の暮らしと自分の暮らしとの違いを体験する展示室である。ここには「タイ」、「ブラジル」、「ネパール」の家屋が等大に再現されており実際その家の中に入って世界のさまざまな生活や暮らし方の違いを発見できる。民族楽器を楽しんだり民族衣裳を試着できるコーナーや今日の世界共通の課題である飢餓、難民といった世界のこどもたちがおかれている多様な環境、解決しなくてはいけない多くの問題を考えるための展示がここにはある。

『こどもファンタジー展示室』は幼児から小学校低学年を対象にし、こどもたちがファンタジーの世界を体感し自由で豊かな世界を生み出していけるような遊びの工夫がなされた楽しい展示室である。

二階には二つのライブラリーがある。ともにプラザの展示や事業と連携し運営されている。

「情報フォーラム」は来館者の国際理解、協力、平和についての学習のためのライブラリーである。地球的諸課題の現状と解決への取り組みや異文化に関する理解、展示を見たり企画事業に参加して持った疑問やより深い理解を支援するために作られた。またここは直接来館者だけを対象とするばかりでなく、国際理解、平和教育の専門図書館として神奈川県内外の図書館、資料室と連携をもちつつネットワークの一つの核（センター）としての役割を担うことも目指している。約四〇〇平方メートルの閲覧室には約一万五〇〇〇冊の公開書架があり貸出もしている。その他関連雑誌や、特長あるコレクションとして各種NGOや民間団体のニューズレター、パンフレットなどが多数集められている。

またここはユニセフの視聴覚ライブラリーにも指定されている。ビデオ等の資料をユニセフより無償提供されており、貸出もしている。

「情報フォーラム」に隣接して「映像ライブラリー」がある。国際理解、世界の文化、国際協力、地球規模の課題などをテーマとしたビデオが準備されている。子ども文化のためのアニメーションビデオも多数あり最大収容数は二五〇〇本である。一六ブースで三六名が視聴できる。

鶴見大学図書館

沿革

大正一三年創設の光華女学院、同一四年創設の鶴見高等女学校を前身とする。戦後、昭和二八年に鶴見女子短期大学を、三八年には鶴見女子大学（文学部）を開設、さらに四五年には歯学部が増設された。さらに、四八年には歯学部のみ男女共学とし、大学名を鶴見女子大学から鶴見大学に変更、短期大学は鶴見大学女子短期大学部となった（平成一一年鶴見大学短期大学部と名称変更）。五二年には大学院（歯学研究科・博士課程）が設置された。

現況

図書館は、昭和六一年五月に新設された。鉄筋コンクリート地下二階、地上三階建てで、曹洞宗総本山総持寺の境内にある。書庫六〇万冊、開架二〇万冊、計八〇万冊の収容能力をもっている。閲覧室は地下一階から地上三階にかけてある。

所蔵資料

蔵書冊数は平成一二年三月末日現在で五七万余冊である。また、逐次刊行物受入タイトル数は四七〇五タイトル（和文三五二五、欧文一一八〇タイトル）である。蔵書内容については、文学部、歯学部、短大部（国文・保育・歯科衛生科）の教科内容を中心としているが、文学関係他のコレクションにはみるべきものが多い。

㊟〒230―8501
横浜市鶴見区鶴見二―一―三
㊝〇四五―五八一―一〇〇一
Ⓕ〇四五―五八四―八一九七
Ⓗhttp://opac-sv.tsurumi-u.ac.jp/library/index.html
㊍ＪＲ京浜東北線鶴見駅より徒歩七分。
㊐午前九時～午後七時（月～金曜日）、午前九時～午後四時（土曜日）。
㊡日曜日、祝日。

コレクション

ミルトン・コレクション　「失楽園」を中心にしたイギリスの詩人ミルトンのコレクション、約一六〇冊。「失楽園」は初版から第六版に至る異版、挿絵本など、また、詩集、全集、エッセイの他、繁野天来編の「ミルトン失楽園物語」(冨山房、明治三六年刊)などの邦訳書を含んでいる。平成一〇年に目録「ミルトンの本」を刊行。

和装本貴重書(古医書)　明治以前の和漢医書および幕末維新期における西洋医学の翻訳書一八二六冊。杉田玄白らの「解体新書」や漢方医書の「明医雑著」(慶長元和刊)、口中書(歯科、口科書)や解剖図などが含まれている。創設は昭和四五年頃である。平成六年に目録「漢方と泰西医学」を刊行。

和装本貴重書　江戸時代以前の出版書目、仏書、往来物、国文学、中国文学などの写本、版本類、約八〇〇〇冊。「源氏物語」については鎌倉時代の写本から江戸時代に至るまでの関係書一六〇〇余冊を所蔵するなど、多彩なコレクションである。目録は平成五年に「源氏物語」七年に「日本の書目」八年に「連歌の本」九年に「往来物」を刊行。

虎文庫　長年図書館界で活躍し、文部省社会教育局調査員として図書館法制定に関わり、また、東京学芸大学、鶴見大学教授であった武田虎之助(一八九七〜一九七四)の旧蔵書六七二冊。図書館学関係の図書が中心で、特に図書館法制定に関わる資料は貴重である。創設は昭和四五年で、五四年に「虎文庫目録」が刊行されている。

内山文庫　日本童話協会の設立者で、駒沢大学、鶴見大学教授を歴任した内山憲尚(一八九九〜一九七九）の旧蔵書三一三六冊。幼児教育を中心に仏教学、教育学、保育学、民俗学、児童文学等多岐にわたっている。創設は昭和五一年で、五七年に「内山文庫目録」が刊行されている。

英学資料　比較文化研究に資するため、蘭学書から明治二〇年代までの英学資料を収集したもので、一七八冊。我が国最初の和英辞書である「和英語林集成」（アメリカ人宣教師ヘボン編）は初版から五版まで揃いで持ち、また、ウェブスターの「スペルリング・ブック」、マレーの「英吉利文典」など。

渡辺文庫　渡辺楳雄（一八九三〜一九七八）旧蔵の仏教学関係書で和書三四二点、四五四冊、洋書五五点、六一冊。昭和五五年に同文庫目録を刊行した。

斎藤文庫　一高教授を経て正則英語学校を設立した英語学者斎藤秀三郎（一八六六〜一九二九）の旧蔵書一九九〇冊。英語学関係および教科書や辞書編纂の上で参考にした文学書が主となっている。創設は昭和五一年で、五七年に「斉藤文庫目録」が刊行されている。

逸見文庫　仏教美術学者で高野山大学、駒沢大学、多摩美術大学等の教授を歴任した逸見梅栄博士（一八九一〜一九七七）の旧蔵書で三七八冊。仏教および仏教美術に関する図書が主である。創設は昭和五二年で、五五年に「逸見文庫目録」が刊行されている。

邦訳聖書　比較文化研究に資するため、欧米文化の基盤をなすキリスト教の明治維新期における動向を掌握するための基本文献として邦訳聖書を収集。点数は一八五冊。アメリカ人宣教師ブラウンとヘボンが明治五年に横浜で発行した「新約聖書馬可伝」「新約聖書約翰伝」や日本プロテスタント教会最初の公認訳とされる「旧約聖書」（明治一五年〜一一年）などが含まれている。創設は昭和五二年で、平成三年に目録「明治乃聖書」を刊行。

日本近代文学コレクション　明治以降の文学書のコレクションで、約八〇〇〇点。明治時代発行の資料を中心に、特に、与謝野晶子、三遊亭円朝の著作については充実したものとなっている。創設は昭和五四年。

英国児童書　英文学の背景として、また、児童書を幼児教育の原資料として収集している。点数は約一〇〇〇冊。一八世紀から一九世紀にかけて発行されたチャップブックを中心に、文学、教育、昔話、ビクトリア朝絵本などを含んでいる。創設は昭和五五年。

シェイクスピア全集コレクション　英語版六〇点、その他の外国語版二〇点。約一〇〇冊のコレクションである。平成七年に目録「シェイクスピアの精華」を刊行。

松浦文庫　英文学者で、東京大学、お茶の水女子大学の教授を歴任、また、本大学の初代英米文学科長であった松浦嘉一（一八九一〜一九六七）の旧蔵書一二三一冊。英米文学関係で、主に洋書である。創設は昭和四二年である。

ワーズワース・コレクション　イギリスの詩人ワーズワースの稀覯書を中心としたコレクションで四五〇点。オリジナル、伝記、研究書、関連図書から成り立っている。創設は平成三年。

大橋文庫　米文学者で鶴見大学名誉教授大橋健三郎（一九一九〜）の収集した一七二七冊（すべて洋書）。二〇世紀の米文学の作品、研究書を中心としている。冊子目録（仮）

がある。以上のコレクションの他英米作家ではテニスン、デフォーの本が重点収集されている。これらの利用については事前に照会を要する。

刊行物――――

また、刊行物については、館報「アゴラ」、特定テーマ別蔵書目録集成（第一三集まで）などを刊行している。

一般の利用については事前連絡を要すが、閲覧・レファレンス・コピーサービスについて可能である。

東洋英和女学院大学図書館

沿革

本大学は平成元年設置され、二学部（人間科学部、社会科学部）がある。各学部一学科であったが、平成九年四月に人間科学部内に人間福祉学科が新設された。

図書館の建物は二階建て（一部三階建て）で、蔵書冊数は平成一一年三月末現在で一六万八七七五冊である。

所蔵資料

蔵書内容はキリスト教、幼児教育、英語、英米文学を主に、人文・社会科学全般におよんでいる。一般の利用については、紹介状および身分証明書など現住所を確認できるものが必要である。また、所蔵の有無については事前に照会する。これにより閲覧、レファレンス、コピーサービスが受けられる。

㊟〒226―0015
横浜市緑区三保町三二
㊣〇四五―九二二―〇三〇一
Ⓕ〇四五―九二一―七八一五
㊫JR横浜線十日市場駅または田園都市線青葉台駅よりそれぞれバス五分。
㊡午前九時～午後六時（月～金曜日）。
㊡土・日曜日、祝日。

日本新聞博物館（ニュースパーク）

沿革

わが国の日刊新聞発祥の地横浜に新しく開館した（平成一二年一〇月一三日）新聞専門の博物館である。日本大通りに面した、わが国初の鉄筋コンクリート構造ビルである旧横浜商工奨励館の建物を保存・活用した「情報文化センター」の二～五階部分を使用して施設はある。運営は日本新聞協会から創設事業を引き継いだ日本新聞教育文化財団があたっている。

現況

歴史ゾーン（三階）では日本と世界の新聞の歴史を紹介している。新聞の発生期、近代新聞の成立期、戦時統制期、日本の民主化と新聞の復興、新聞の高度成長期、多メディア時代の新聞の6ゾーンに分けて、新聞の実物、模型、映像、レプリカを使って展示・解説をしている。

現代ゾーン（五階）では取材から新聞が読者の手に届くまでの流れを取材、編集、製作、販売、公告、事業など新聞社の各分野の活動や仕組みにそって紹介している。

NIE全国センター（三階）はNIE（メディア・イン・エデュケーション――教育に新聞を）運動のナショナルセンターである。先生や児童、生徒を対象にNIE学習のノウハウを学ぶための資料を提供するほか、模擬授業も開く。NIE運動のナショナルセンター

㊟〒231―8311　横浜市中区日本大通一一　横浜情報文化センター
㊫〇四五―六六一―二〇四〇
Ⓕ〇四五―六六一―二〇二九
㊝JR京浜東北線・市営地下鉄関内駅下車徒歩一〇分。
㊡月曜日（祝日のときはその翌日）、年末年始（新聞ライブラリー・NIE全国センターは土・日曜日、祝日・振替休日、年末年始）。
㊕午前一〇時～午後五時、金曜日は午後八時まで（新聞ライブラリー・NIE全国センターは午前一〇時～午後五時）。
㊓有料、新聞ライブラリー・NIE全国センターは無料。
㊢可。

は世界でも初めてである。

ほかに記者会見から新聞の紙面づくりまでを体験できて、さらに学校新聞、サークル紙、社内報などの製作支援もしてくれる**新聞製作工房**（三階）、日進月歩の技術機材などのデモンストレーション展示をする**新技術コーナー**（五階）、年数回の企画展を開催する**企画展示室**（二階）などがある。企画展示室では開館記念特別展として「号外で振り返る20世紀」展が開催された。

新聞ライブラリー（四階）はわが国唯一の新聞専門図書館である。日本新聞協会に加盟する日刊紙約一三〇紙が創刊号から最新号まで、原紙またはマイクロフィルム、CD―ROMなどで閲覧できる。新聞をはじめとするジャーナリズム、マスメディアに関する図書等も所蔵している。

新聞博物館の収蔵庫である日本新聞博物館鴨居分室（横浜市都筑区池辺町四六二二）に保管してある多量の新聞、および関連資料はここのカウンターに請求すると後日新聞ライブラリー内で閲覧することができる。

著作権の範囲内でコピーのサービスもしている。

刊行物――――

定期刊行物「ニュースパークたより」、「NIEニュース」がある。

日本郵船歴史資料館

沿革――――――

平成五年に開館した博物館である。

わが国を代表する海運会社日本郵船㈱が、海に接した社有倉庫の二階部分七〇〇平方メートルを改装して開設し、内容は海運他社の資料までもふくめた豊富な海運関係資料と、「海と人間」、「船と人間」の文化を総合的に知ることを目的とした資料の展示からなっている。日本郵船は当館を「自社の資料の散逸を防ぎ」、「研究者を支援し」、「広く市民に開放する」こと、それに「自社の社員教育に役立てること」を目的として開設した。

建築は平成六年度には通産省のグッド・デザイン賞施設部門を受賞している。

館内に入る前にまず目につくのはエントランスの鋳鉄製の大きな天水桶である。これは日本郵船の前身である九十九商会が明治三年東京深川の釜屋六右衛門に鋳造させたもの。その正面には岩崎家の家紋「三階菱」と土佐山内家の家紋「三ケ柏」を組み合わせた文様が浮き彫りされておりこれが後に「三菱マーク」となった。またこの天水桶の木製の蓋には銅版に雕刻された漱石門下の作家で『百鬼園随筆』シリーズで知られる内田百閒（一八八九～一九七一）の昭和一五年六月の賛がある。これは百閒が法政大学教授を辞職後、昭和一四年から二〇年までの七年間日本郵船の嘱託をしていた縁により書かれた。そのころ百閒は丸ノ内の郵船ビルの六四三号室に住まい、自らそこを「夢獅山房」と名付け、会社

㊟〒231―0002
横浜市中区海岸通三―九
㊑〇四五―二一一―一九二三
Ⓕ〇四五―二一一―一九二九
㊇ＪＲ京浜東北線、東急東横線、市営地下鉄桜木町駅から徒歩一二分。
㊡月曜、祝日の翌日。
㊐午前一〇時～午後四時三〇分。
㊓有料。

関係の文書類の添削に従事していた。この天水桶は賛がつくられて二年後の戦争による金属回収令の供出をまぬがれるため公共施設である横浜市民博物館に移されることとなり、その時百閒が作ったのが「天水桶送別の辭」である。そこには「我ガ社ノ大呂天水桶ソノ形ヲ得テシヨリ軒ノ雨風七十有餘年ナリ、溜水ハ暗クシテ汨汨ソコヒヲ知ラズ、寒月ヲ涵シ孑孑ヲ毓ヒ今日ニ到ル・・・」とある。いかにも百閒らしいユーモアあふれた文である。

所蔵資料

館内に入るとまず目を引くのは「浅間丸」、「鎌倉丸（旧秩父丸）」の細密な模型である。共に四八分の一スケールで全長三・八メートル。それぞれがこれまで横浜の海洋博物館と東京の交通博物館の目玉展示品だったもの。荷役器具やロープワーク、ドアのノブの一つ一つまでが精巧に再現されている。総桧、総漆製で新宿区百人町の籾山兄弟社製。

船旅華やかなりし頃のポスター類やパンフレット類の豊富なコレクションも出色である。時代ごとに眺めていくとそれはアール・デコや東洋趣味のものなど商業美術様式の貴重な資料である。色鮮やかなメニューのなかには竹久夢二デザインのものなどもあり、日本の郵船会社らしく扇の型をしたものや版画のものもあり見ていて楽しい。

これらのコレクションの多くは引き出し式の展示ケースにおさめられている。これは展示ケースの下部に積層式に作られていて、ウィンドスペースの限界をこえて多量のコレクションを展示するためと、資料を照明による劣化から守るための工夫である。

コレクション――

当館には二つのライブラリーがある。ひとつは入り口を入ってすぐの「ライブラリー・サロン」である。船に関する世界中の資料を集めることを目指して設けられた。ほとんどが洋書からなるコレクションで、イギリス、グリニッジの英国王立海洋博物館の選書によるものである。船の歴史や航海術、海運関係図書のほかに美術書、写真集などもある。三台のビデオ・ブースもあり来館者が自由に鑑賞することができる。ビデオソフトの内容は船および海に関するもの。

もうひとつのライブラリーはオリエンテーション・ルームにある。こちらのコレクションは研究用資料を中心にしている。海運、航海、貿易関係の資料や海事関係の法律書、全国の港を持つ自治体の公刊地方史、日本郵船関連の会社の社史などが所蔵されている。なかには現在は取り壊されてしまった東京丸ノ内の旧日本郵船本社ビルの資料もあり貴重である。ほかになぜか宝塚歌劇団の五〇年史や役者番付などもあり、これはこれらの資料のなかに日本郵船の顧客が多く含まれていることによる。ちなみに、オリエンテーション・ルームには長崎の平和祈念像の作者、彫刻家北村西望の「殉職戦没社員冥福祈念像」が置かれている。これは日本郵船の第二次世界大戦における戦没者を慰霊するために昭和三〇年に作られたものである。大戦中の船員達の戦死率は陸海両軍のそれを大きく上回り、徴用日本郵船社員の戦死率は実に四七パーセントに及んだという。ふたつのライブラリーとも入館者は自由に閲覧できる。

フェリス女学院大学附属図書館

沿革

アメリカの婦人改革派教会の最初の婦人宣教師として明治二年に来日したメリー・キダーが翌三年から、ヘボン式ローマ字で知られるアメリカ長老派教会の宣教師ヘボンの施療所で付近の子女に英語教育を行なったことに始まる。また、校名はアメリカ改革派外国伝道局の初代総主事アイザック・フェリスにちなんでいる。この後、短大開設を経て昭和四〇年大学を設立した。

現況

文学部（英文学科、日本文学科）、音楽学部（声楽学科、楽器学科、楽理学科）および平成九年に開設された国際交流学部（国際交流学科）の三学部がある。

一、二学年は緑園キャンパス（相鉄いずみ野線緑園都市駅より徒歩三分）、三、四年は山手キャンパス（JR根岸線石川町駅より徒歩一〇分）に通う。

図書館は山手図書館を主として、音楽関係資料をもつ山手図書館および緑園図書館とがある。

蔵書冊数は平成一二年三月末現在で二四万九一四〇冊である。蔵書内容はキリスト教、英米文学、日本文学、音楽関係および国際交流に関するものを広く収集している。

㊟〒231―8651
横浜市中区山手町三七
㊔〇四五―六八一―五一四九
Ⓕ〇四五―六五一―〇九一六
㊋JR根岸線石川町駅から徒歩一〇分。
㊏午前九時～午後七時（月～金曜日）、午前九時～一二時（土曜日）。
㊡日曜日、祝日。

コレクション――

コレクションとしては、「**渥美かおる記念文庫**」（中世文学、特に平家物語の優れた研究家であった元愛知県立大学教授渥美かおる氏（一九一一～一九七七）の旧蔵書九三点で創設年は昭和五五年）および「**讃美歌・聖歌コレクション**」（明治期より現在までのプロテスタント、カトリック、正教会の日本語による讃美歌・聖歌のコレクションおよび英語の讃美歌を教派、年代、国別を問わず網羅的に収集した英米プロテスタント讃美歌のコレクションで現在も収集中。創設年は昭和五六年）がある。

一般の利用については、コレクション共、事前連絡を必要とする。

フォーラムよこはま情報ライブラリ

沿革

横浜女性フォーラム情報ライブラリ（一二五ページ掲載）と同じく㈶横浜市女性協会が運営する集会施設「フォーラムよこはま」にある図書館である。「フォーラムよこはま」は、横浜の新しいシンボルとなったみなとみらい21（MM21）地区にそびえる横浜ランドマークタワーの一三階にある。エレベータを一三階で降りると、すぐにライブラリとなっている。窓の外には横浜港とベイフリッジを一望することができる。

所蔵資料

横浜女性フォーラムのライブラリとは姉妹館のような感じだが、収集資料のうちで強調する分野が、少し異なっている。女性問題に関するものは同様に収集しているが、フォーラムよこはまでは、国際協力・国際交流に関する分野のものに力をいれていることが特徴である。

図書では、国際協力に関する和書、洋書のほか、異文化理解に役立ち、性差別や人種差別表現のない絵本・児童書を収集している。図書の所蔵目標は、一万冊を目指す。

逐次刊行物、ビデオ、新聞記事クリッピングも女性問題の分野に加えて、国際協力・国際交流に関するものが収集されている。日本語雑誌は、約七〇タイトル、洋雑誌は、約八〇タイトルと洋雑誌が多い。さらにミニコミ約二五〇タイトルに加えて海外の女性グルー

㊟〒220―8113
横浜市西区みなとみらい二―二―一―一ランドマークタワー13階
㊑〇四五―二二四―二〇〇二
Ⓕ〇四五―二二四―二〇〇九
Ⓗhttp://www.women.city.yokohama.jp/
㊦JR京浜東北線・市営地下鉄・東急東横線桜木町駅から徒歩七分。
㊐午前九時三〇分～午後九時、日曜、祝日。
午前九時三〇分～午後五時
㊡木曜、祝日の翌日、年末年始。
㊮無料

プ・団体が発行する情報誌が約二〇〇タイトルほどある。

国連関連機関や各国のＮＧＯが発行する開発と女性、識字、仕事、男女平等などに関する「開発教育教材」が集められていることは特筆できる。また、女性問題や国際協力に関連したポスターのコレクションもある。ポスター閲覧コーナーですぐに見ることができる。貸出やその他のサービスは、横浜女性フォーラムと同様に行っている。

所蔵資料は、ホームページに公開されており検索することができる。

放送ライブラリー

ビデオリサーチなどによるとわが国で一年間に制作されるテレビ番組は一〇万本をはるかに越え、関東地区で視聴可能なテレビ各局の放送時間の総計は一日に限ってみても二〇〇時間を越える。それに対して日本人一人当たりの一日のテレビ視聴時間は平均約三時間三〇分であり、これは放送時間全体のわずか二パーセントにも達していない。放送番組が「映像による生きた社会史、生活誌を検証する国民的財産」であることを考えれば、「国民の誰もが時間の制約を越え、何時でも希望する放送番組を視聴できるシステムの構築」（郵政省「放送ライブラリーに関する研究会」）は当然必要とされるところであった。

沿革

日本で唯一の放送番組専門の公開施設である放送ライブラリーが、横浜市中区のMM21地区に開館したのは平成三年一〇月のことである。運営には郵政大臣の指定を受けた㈶放送番組センター」があたっている。放送ライブラリーはＮＨＫ、民放各社、横浜市が拠出した基金や公益法人の助成金をもとに運営されており、放送業界の各社がこぞって放送ライブラリーの活動をバックアップしているといえる。このように社枠をこえてナショナル・センターを維持している例は国内でもおそらくここが唯一であり、このことからも業界各社の放送ライブラリーへ寄せる期待の大きさが分かるようである。

以前に見た感銘に残るテレビ番組をもう一度見たいとか、つい見逃してしまったテレビ

㊟〒231―0021　横浜市中区日本大通一一横浜情報文化センター内
㊫〇四五―二二二―二八二八
Ⓕ〇四五―六四一―二二一〇
Ⓗhttp://www.bpcj.or.jp/

㊯ＪＲ・市営地下鉄関内駅下車徒歩一〇分。
㊐午前一〇時～午後五時。
㊡月曜日、年末年始。
㊒無料。

番組がいつまでも気に掛かるということは往々にあるが、刊行された図書資料と違い、放送された古いテレビ番組が再放送とは違って個別の視聴希望に応じるために保存されることはほとんどなかった。テレビ初期は生放送がほとんどだったのでやむをえぬこともあるが、ＶＴＲ機器が輸入されるようになってからもビデオテープ自体が高価であったため、使ったものを消しては何度も使うのが普通で、テレビ前半期（昭和五〇年代にいたっても）の番組で残っているのは受賞作品など少数の例外を除けばごく限られたものに過ぎない。昭和二八年のテレビ本放送開始から時間がたち、改めて自社の歴史を振り返った放送局各社は残されている自社の作品のあまりの少なさに驚き、このことが放送ライブラリーの誕生に結びついた。近年は各放送局の業務用インナーライブラリーがかなり充実してきているようではあるが、それが一般に開放されているところはまだ少なく、ここのような広く公開された施設は貴重で、利用者は社会人、学生、研究者、他局の番組を視聴する目的の制作スタッフ、それに家族連れなどさまざまで、来館者は全国に及んでいる。

放送法第五三条では、当放送ライブラリーの基本業務として放送番組の収集、保存、公開と番組情報の収集、分類、整理、保管、提供をあげている。たしかに膨大な情報のなかから有効かつ有意義な情報を選別収集するのは至難のことであるが、放送ライブラリーでは、放送法により放送番組収集諮問委員会の答申をうけて作られた収集基準にそって、番組保存委員会がその選定にあたっている。

放送ライブラリーで現在公開しているテレビ番組は八〇〇〇本で、コレクションの中には、昭和二八年二月一日、NHK開局当日の最初の放送「NHK東京テレビジョン開局にあたって」をはじめとして、時代の証言となる貴重なドキュメント系が多い。このほか特に多いのは文化財などの教養系、それにドラマ、時代劇などであり、普段は見る機会の少ないNHKの地方局をはじめ、民放ローカル局の番組もかなり充実してきた。また当ライブラリーが横浜市に位置していることから神奈川県を舞台にしたドラマや報道番組を集めた「横浜・神奈川コレクション」もある。各種の賞を受賞した番組は特に力を入れて、ほぼ網羅的に収集済みである。

平成六年からはラジオ番組の公開も始まった。コレクションは現在一五〇〇本で、受賞番組を中心に、戦後まもないラジオ全盛期の番組やラジオの特性を活かしたパーソナリティ番組や演芸ものなど幅広いジャンルが並んでいる。

現況

現在、放送ライブラリーがある。

「横浜情報文化センター」は、地上一二階、地下三階、延床面積二万二〇〇〇平方メートルで、横浜市が事業費一三七億円をかけて建設したもの。放送ライブラリーの占有部分は八階から一〇階まで約三〇〇〇平方メートルの広さである。八階はテレビ・ラジオ番組の視聴室。ここではNHK、民放各社、制作会社の放送番組が簡単な利用手続きで視聴できる。視聴ブースは六〇台であり、これらの視聴設備には最新のデジタル技術が導入されている。平成一二年度より新しくコマーシャルの収集も始まり、CM作品や短時間番組などの検索システム付き視聴ブースも設置されているが、国内初の本格的なコマーシャルの一般公開（一三年一月開始予定）は、話題を呼ぶことだろう。

九階には体験型の展示室もあり、放送の歴史や現状、社会との関わりなどを、映像を活用して分かりやすく理解できるような常設展示コーナーもある。他に「映像ホール」と「イベントホール」もあり、番組上映会や企画展示、セミナーやシンポジウムなども定期開催される。一〇階は研究者用ブースや事務所、番組保管庫である。

ライブラリーの刊行物には『受賞テレビ番組総覧』（全二冊）、テレビ番組の編年リスト「TELEVISION　ARCHIVES」（現在五冊を刊行）がある。

横浜開港資料館

沿革

同館は昭和五六年六月二日の開港記念日に横浜の新しい名所としてオープンした。建設されたところは横浜港に近い、安政元年に日米和親条約が締結された記念すべき土地である。英国総領事館の廃止にともない、この建物の保存を英国政府から依頼されたのに端を発して、横浜市がこの地にふさわしい利用方法として同館の建設を決めたのである。すなわち、昭和六年に建設された旧英国総領事館は鉄筋コンクリート造地下一階地上三階建てであるが、これを内部改修すると共に、同じ敷地内に鉄筋コンクリート地下一階地上三階建ての新館を建設してあわせて資料館としたものである。

所蔵資料

以上の経過をふまえて、同館は日本の開国、横浜の開港を中心とする横浜の歴史資料を収集・保存し、あわせてそれらの資料を調査、研究、展示、公開することを目的とする施設として発足した。その仕事の第一としては、横浜の歴史を知るもとになる資料を集め、整理し、公開することである、当面は大正一二年の関東大震災までのものを対象とすること、第二の仕事としては、集められた資料をもとに明らかにされた横浜の歴史を市民に伝え、地域の歴史に関心をもってもらうことであり、そのため、常設及び企画展示を行い、閲覧室では資料の相談を受け、歴史講座を開催し、その普及に努めることとしている。

㊟〒231—0021
横浜市中区日本大通三
㊐〇四五—二〇一—二一〇〇
（代表）
Ⓕ〇四五—二〇一—二一〇二
Ⓗhttp://www.kaikou.city.yokohama.jp/
㊛JR京浜東北線桜木町駅から市営バス「県庁前」「大桟橋」下車。
㊡月曜日、年末年始。
㊐午前九時三〇分～午後五時（但し、入館は四時三〇分まで）。
㊕有料。

展示――――――

以上の趣旨に従い、一・二階の常設展示室では、「開港への道―世界史のなかの日本」及び「街は語る―開化ヨコハマ」をテーマとした展示がなされ、企画展示室では横浜の歴史やゆかりの人物をテーマにした企画展が年間四回開催されている。また、企画展にあわせた記念講演会、館員による歴史講座も随時開催されている。

刊行物――――――

さらに、刊行物としては、館報「開港のひろば」、「横浜開港資料館紀要」、各種の「所蔵資料目録」や「史料集」などが刊行され、展示図録も随時出されている。入館は有料であり、展示室へは二〇〇円、閲覧室へは一〇〇円であり、閲覧室では日本の開国や横浜開港関係史料などの閲覧やレファレンス、コピーができる。

特殊コレクション――――――

五味亀太郎文庫　第二次世界大戦前、市内で質商を営んだ五味亀太郎（一八九一～一九六五）が蒐集した和洋書、文書記録、地図、新聞・雑誌、一枚摺りなどの横浜開港史料、約八六六〇点。

稲生典太郎文庫　元中央大学教授で外交史家の稲生典太郎（一九一五～）が収集した日本近代外交史、条約改正や内地雑居論関係の文書、図書文献などで、約一万点。

岩生成一文庫　海外交渉史の権威で、東大、日大、法大教授を歴任した岩生成一（一九〇〇～八八）の旧蔵書で、主に近世の海外交渉史に関する和書等約一〇〇〇冊。

豊田博士記念文庫　日本英学史学会の蔵書で、会員の寄贈本や会の購入本からなる。第一代同会会長豊田実を記念して名付けられた。昭和五九年、同館に寄託された。約一三〇〇点。

ドン・ブラウン・コレクション　アメリカ人ジャーナリストで日本アジア協会副理事長や紀要の編集長を務めたドナルド・B・ブラウン（一九〇五～八〇）の日本関係洋書、新聞・雑誌で、約一万点。

ブルーム・コレクション　横浜山手居留地に貿易商の子として生れたポール・チャールズ・ブルーム（一八九八～一九八二）がアメリカ帰国の際に譲渡及び寄贈した日本関係の資料で約六四〇〇点。

ペドラー・コレクション　英国在住で横浜のインターナショナルスクールの教師であったアルフレッド・ニール・ペドラー（一九四〇年～）が収集した日本関係絵葉書のコレクションで約八〇〇〇点。

横浜国立大学附属図書館

沿革

昭和二四年五月三一日の国立学校設置法の公布により、神奈川師範学校、神奈川青年師範学校、横浜経済専門学校、横浜工業専門学校の四校を統括して総合大学（学芸学部、経済学部、工学部の三学部）として創設された。当初は各キャンパスが別々の場所にあったが、現在は保土ヶ谷区常盤台のキャンパスに統合されている。この間、四一年、学芸学部は教育学部に改称、さらに平成一〇年に教育人間科学部と改称された。また、四三年には経営学部が設置された。

図書館は中央図書館、社会科学系研究図書館、理工学系研究図書館と三つ設置されている。

所蔵資料

蔵書冊数は平成一二年三月末日現在で、一一七万六七〇五冊（洋書四六万六〇〇〇冊を含む）である。

蔵書内容は中央図書館は全分野の図書および人文科学、教育科学系の学術雑誌を、社会科学系研究図書館は社会科学系の図書および学術雑誌を、理工学系研究図書館は理工学系の図書および学術雑誌を収集している。

一般の利用については、三館とも館内閲覧、レファレンス、コピーサービスが可能であ

㊟〒240―8501　横浜市保土ヶ谷区常盤台七九―六
㊊〇四五―三三九―三一〇四
Ⓕ〇四五―三三九―三一二八
Ⓗhttp://www.lib.ynu.ac.jp/
㊫横浜市営地下鉄三ツ沢上町駅から徒歩一八分。
㊐午前九時～午後九時四五分（月～金曜日。但し、授業の行われない日は午後五時まで）、午前一〇時～午後四時三〇分（土曜日）。
㊡日曜日、祝祭日、年末年始、館内整理期間、開館記念日（六月一日）、その他（八月）。
㊒要事前連絡。

るが、事前照会が必要である。

コレクション――――――

浅井文庫　戦時中（昭和一八年頃）、中国済南銀行専務であった浅井秀次（一九〇五〜？）の旧蔵書で、昭和前期の中国の経済調査報告書類で、三一三冊。

太平洋貿易研究所文庫　現大学の前身であった横浜高等商業学校の当該研究所の蔵書で、昭和二〇年以前刊行のアジアの産業、貿易、地誌に関するもので、和書九八二冊、洋書二三一冊。

徳増文庫　西洋経済史が専門で本大学教授であった徳増栄太郎（一八九四〜一九六二）の旧蔵書で、経済史関係の洋書八一二冊。

小栗文庫　英語学が専門で本大学教授であった小栗敬三（一九〇六〜七四）の旧蔵書で、主として英語音声学に関する図書八五九冊。

金子文庫　ロシア文学者で元一橋大学教授金子幸彦（一九九四年没）の旧蔵書約一〇〇〇冊を、没後寄贈と購入により入手。内容は、ロシア文学に関するもの約一〇〇〇冊、思想史約八〇〇冊、辞書・全集類約二〇〇冊で、ほかに日本人による研究書もある。今日、入手困難なものも多い。文庫の目録も整備されている。

中国の志叢書、第二期（複製版）　中国の省・府・県にわたる地方志の県大成である。漢籍で一九一五冊。

世界各国地図帳集成　全国の国立大学の共同利用外国図書として購入されたもので、内容は、世界・国勢・歴史・経済・気候・空中写真アトラスや古地図帳など。

ミラボー・コレクション　全国の国立大学の共同利用外国図書として購入されたもので、フランス革命期の政治家ミラボー伯爵の著作、演説、意見書、書簡など主要なものが集められている。

ヨーロッパ一三ヵ国大縮尺地形図集成　西ヨーロッパ一三ヵ国の本土全域にわたる地形図のコレクションである。すべて縮尺五万分の一の地形図で統一したため、発行部数の少ないイタリアは含まれていない。

フランス革命期官報　フランス革命当時に刊行されたオリジナル資料。

新大陸関係地形図集成　アメリカ合衆国、カナダ、オーストラリア、ニュージーランドおよびパプアニューギニアの五ヵ国の地形図。

コレクションについての一般の利用は事前の照会を要する。

横浜市環境科学研究所〔資料室〕

沿革

横浜市環境科学研究所はその名が示すとおり横浜市の環境、公害行政の科学的側面を受け持つ総合的研究センターである。創設は古く、昭和三九年衛生局の「公害センター」としての出発であった。その後研究対象が地球温暖化、酸性雨の森林破壊など地球規模での取り組みに広がり、平成三年六月機構改革にともない現在の名称に改められた。研究テーマは大気、騒音・振動、水質、地盤沈下と広い。主な業務として工場等の立入検査にともなう検体（検査機械等）の分析・検査、自動測定機の性能検査業務、公害・環境問題の調査研究業務などがある。

催事

このような直接的研究機能のほかに、横浜市環境科学研究所は市民への環境問題啓発活動にも力を入れている。開所当初から「開かれた研究所」を目指し、昭和五二年度から「明日の都市環境を考える」を統一テーマに環境・公害問題を市民とともに考える環境セミナーを開いている。昭和六一年度からは「調べてみよう身近な環境―水、みどり、まち・・・―」と題して小・中学生、高校生から作品を募集している。環境月間である六月には所内各種研究施設を見学できる施設公開日を設けている。今後、さらに市民とともに環境問題を考え、それらの活動を支援していくための環境活動保全センターの構想もある。

㊟〒235―0012　横浜市磯子区滝頭一丁目二―一五
㊂〇四五―七五二―二六〇五
Ⓕ〇四五―七五二―二六〇九
Ⓗhttp://www.city.yokohama.jp/me/cplan/epb/kenkyu/
㊦JR京浜東北線関内駅より市バス根岸橋下車。
㊡土、日曜、祝日。
㊐午前八時四五分～午後五時一五分。
㊒無料。

所蔵資料――――

一方情報公開にも熱心で、二階にある資料室は一般市民に開放されている。環境関係の入門書から専門書まで図書、和雑誌・研究紀要類、洋雑誌、多数の報告書などを所蔵しており、図書資料は館外貸出サービスも行なっている。蔵書に対する問い合わせには電話でも応じている。

横浜市市民情報センター

沿革

横浜公園は幕末開港期には港崎《みよざき》遊廓があった場所である。今も木々の緑濃く、園内は市民の憩いの場となっている。その横浜公園と道一本を隔てたところに昭和三四年竣工の横浜市市庁舎があり「横浜市市民情報センター」はその一階に位置している。昭和六一年一二月の開室以来JR根岸線関内駅前という地の利もあって利用者は多く、平成九年九月九日には来室者が二〇〇万人を越えた。部屋の広さは二〇四・六平方メートル、閲覧席は一三席である。

横浜市市民情報センターには五つのサービス機能がある。

「総合案内カウンター」は市政情報に関する総合窓口である。常駐する係員が行政や市営施設に関する各種レファレンスに応じている。また、ここは昭和六三年四月にスタートした情報公開制度による市公文書、市政情報の公開請求の窓口にもなっている。

施設

「行政資料コーナー」には横浜市の各種統計、提言、指針、調査報告書、事業概要などの行政資料が公開されている。国、県、他の市町村の資料や法令なども公開されている。現在所蔵資料は約五万点、独自分類により整理され、公開されている。書庫保管の資料はカウンターに請求して利用する。資料の館外貸出しもしている。ここには市内全域の航空写

㊟〒231―0017　横浜市中区港町一―一横浜市庁舎一F
㊫〇四五―六七一―三九〇〇（直通）
Ⓕ〇四五―六六四―七二〇一
Ⓗhttp://www.city.yokohama.jp/me/shimin/joho/index.html
㊮JR・市営地下鉄関内駅から徒歩三分。
㊡土・日曜日、祝日、年末年始。
㊐午前八時四五分～午後五時一五分。
㊓無料。
㊒可。

真が揃っており、隣接する刊行物サービスコーナーでポイントを指定して依頼すれば後日拡大写真で提供される（有料）。

「刊行物サービスコーナー」では横浜市が作成した刊行物、都市計画図、文化財報告書等や横浜市関連の各種グッズを販売している。市が刊行する人気の広報誌「グラフよこはま」のバックナンバーもここで購入できる。「パンフレットコーナー」には横浜市内に限らず県内各地の生活情報、イベント情報、募集案内などが集められ、無償で配布している。「ニューメディアコーナー」は各種ニューメディア端末による情報提供のコーナーである。磯子区洋光台にあるこども科学館の「子供科学館情報」、戸塚区にある横浜女性フォーラムの「女性フォーラム情報」、ＮＨＫ系列の日本文字放送（関東甲信越ネット）を使って横浜の観光やイベント情報を提供する「文字放送」、メディアシティー横浜の情報センターと光ファイバーケーブルで結ばれて各種横浜市の情報を提供する「ミュー・ビジョン」などがある。平成八年一〇月からはインターネットによるサービスも始まった。ここから利用者自身が横浜市のホームページにアクセスすることができる。「ビデオブース」には横浜市内の自然、歴史、福祉、伝統芸能などのビデオソフトが用意され、自由に視聴することができる。市内各区が制作した広報用ビデオも集められている。

横浜市の全容をビジュアルな表現でわかりやすく説明していると好評な、「新横浜市早見―データで見る横浜」、横浜市の「市政概要」も同室の編集によるものである。

横浜市中央図書館

沿革

横浜開港六〇年、市制施行三〇周年を記念して建設が計画され、大正一〇年六月、横浜公園内の図書館建設事務所で図書の閲覧が開始されたのを発端とする。同一二年九月一日の関東大震災で建物が焼失。その後、中村町の仮閲覧所、横浜公園内の仮本館の時代を経て、昭和二年七月、野毛山公園入口の老松小学校跡に新図書館が竣工した。以後、平成二年一月、現中央図書館建設のため休館するまで、六〇余年間活動を続けた。この間、戦前戦後を通じて五〇年近い間は一館のみであったが、昭和四九年一〇月、磯子図書館が開館して以後、各区に図書館が建設されはじめ、現在では中央図書館を含めて一八区に一館ずつが建設されるに至っている。

現況

現中央図書館は前図書館の跡地に隣接の老松会館や民有地を買収して建設されたが、建設中の閲覧業務等は野毛山公園内の仮設館で行なわれた（平成二年三月～五年一〇月）。中央図書館は六年二月一部開館し、同四月全面開館した。敷地面積九九九三平方メートル、建築延面積二万一八三四平方メートル、地上五階、地下三階、塔屋一階である。また、蔵書能力は一五〇万冊、開架三〇万冊、閲覧席数は七一一席（閲覧席五四八席、ブラウジング席九一席、音楽・映像ブース七二席）である。

㊟〒220―0032
横浜市西区老松町一
㊫〇四五―二六二―〇〇五〇
Ⓕ〇四五―二六二―〇〇五二
Ⓗhttp://www.city.yokohama.jp/me/kyoiku/library/index.html
㊐午前九時三〇分～午後八時三〇分（火～金曜日）、午前九時三〇分～午後五時（土・日・祝日）。
㊡月曜日（祝日が重なった場合は翌平日）、年末年始、特別整理期間。

館内構成は、一階はエントランスホール、総合カウンター、各種コーナー、おはなしのへや、二階は移動図書館・団体貸出書庫および事務室、三階は一般調査・ヨコハマ資料部門および事務室、四階は社会科学・自然科学部門および事務室、五階は人文科学部門および会議室（三室）である。また、地下一階は音楽・映像ライブラリー、ホール（二〇〇席）、学習室（一五〇席）、談話室（四一席）および書庫、同二階は書庫、同三階は書庫および機械室となっている。

図書館の入口は一階にあり、ブック・ディテクションを通って入館する。本の検索は利用者用検索機で行ない、利用相談・書庫内資料の請求は各階カウンターで行なう。また、貸出（各館共通、一人六冊まで、二週間）、返却はすべて一階総合カウンターで行なっている。

所蔵資料

蔵書一〇九万七五三冊（平成一二年三月末現在、以下同じ）、入館者数一一九万一七八八人、個人貸出冊数は、一五一万四五八九冊である。また、各階の資料は次のようである。

地下一階・音楽映像ライブラリー　音楽・映像資料としてCDやビデオなどが集められ、専用の音楽ブース・映像ブースで視聴できる。また、音楽・演劇・映画に関する参考図書や雑誌・楽譜も閲覧できる。

一階・総合カウンター、**小説と暮らしのコーナー**、**視覚障害者サービスコーナー**、**他**　総合カウンターでは、利用案内、図書カードの発行、本の貸出・返却等を受付けている。小説と暮らしのコーナーには、日本の小説・エッセイ、旅行ガイドブック、家庭、生活、スポーツ、趣味、娯楽の本などがある。

視覚障害者サービスコーナーでは、録音図書、点字図書・点字雑誌があり、また、対面朗読室の利用もできる。

コーナーとして他に、文庫本コーナー、子どもの本のコーナー、ヤングアダルトコーナーがある。

三階・一般調査部門、ヨコハマ資料部門　一般調査部門では、基本的な参考図書、各主題にまたがる資料および言語に関する資料が閲覧できる。新聞・雑誌コーナーでは、全国紙、地方紙、海外紙、政党紙や各種雑誌類が、海外資料コーナーでは、国連および各国大使館資料、白書、政府広報などが閲覧できる。

ヨコハマ資料部門では、横浜や県内の郷土・行政資料が集められているが、特にヨコハマの作家資料、郷土伝記資料、ヨコハマ文学資料、ミナト資料など、ヨコハマに関する資料が豊富に収集されている。コーナーとしては、都道府県史・市町村史を収集した地方行政資料コーナーと国際姉妹都市・友好都市資料コーナーの二つがある。

四階・社会科学部門、自然科学部門　社会科学部門では、政治・経済・教育などの社会科学の資料および商業・交通・通信関係の資料が閲覧できる。コーナーとしてはビジネス資料コーナー、政府刊行物コーナーがあり、企業経営、マーケティングなどの資料が集中されている。

自然科学部門では、自然科学・医学・技術・工学関係の資料が閲覧できる。コーナーとしては、情報科学コーナーがあり、コンピューター関係の資料が集められている。

五階・人文科学部門　この部門では、哲学、歴史、芸術、文学に関する資料が閲覧できる。コーナーとしては、人物資料、文学賞資料の三つがある。

コレクション――

亀田文庫　亀田病院の開設者亀田威夫氏収集の忠臣蔵関係資料。氏の亡父の故郷が兵庫県赤穂市に近かったことから、学生時代から収集したもので、総数は一四一六点。内容は和書、洋書、児童書、雑誌、パンフレット等により構成され、元禄時代の「赤穂義人録」(室直清著、元禄一六年刊)から戦後発行の資料に至るまで巾広い。また、その中には、「The Tale of Forty Seven Ronins」(A・B・Mitford著、十字屋、一八八九年刊)などの洋書五三点を含んでいる。コレクションの創設年は昭和五七年。また、目録として亀田文庫目録(昭和五九年)がある。なお、収集者の亀田威夫氏(一八九五〜一九八二)は横浜市生まれで、千葉医学専門学校を卒業後、大正九年亀田病院を開設した。以後、地域医療に尽くす一方、赤穂義士関係の古書の収集家として知られていた。元義士会副会長。

中村家文庫　浦賀奉行組同心中村容介(旧名大助)の職務上の手録を中心としたもので、総数四五点。同文書中の由緒書・親類書等によれば、中村容介は寛政六年生れで、嘉永元年没となっている。奉行所の公文書はなく、鰯漁場の紛争に関する訴訟参考資料、江戸在勤中の御用留、三崎在勤の記録、モリソン号砲撃事件の現地記録、月番の御用留等、幕末の史料である。

横浜開港関係資料　横浜絵、絵図のコレクションで、総数四五六点。幕末開港期から明治中期にかけて刊行されたもののうちで、横浜の風景・風俗を題材にしたもの、横浜で筆画・板行されたものなどを横浜絵と定義づけている。内容としては、横浜絵としては、芳虎三九点、貞秀三〇点、芳員二六点、三代広重二三点を含む四九人の絵師の作品三三六点。その他の資料としては、「横浜村並近傍之図」などの絵図や瓦版など一二〇点である。なお、これらの所蔵目録として、「横浜市図書館蔵書目録稿横浜絵・絵図篇　増訂版」(昭和五六年)がある。

なお、所蔵資料の情報は、インターネットに公開されており、個人のパソコンから検索することができる。

横浜市の地域図書館

横浜市では昭和四八年一二月、「横浜市総合計画・一九八五」を策定し公表した。この計画のなかで、図書館についてでは「市立図書館を大都市にふさわしい中央図書館として拡充整備するとともに、地域の要求にこたえるため、今後、方面別に図書館を充実することとし、当面八館を建設する。……」と述べられている。昭和四九年、磯子図書館が開館し、続いて五二年に山内図書館、五三年に戸塚図書館が開館した。以後、図書館建設は一方で中央図書館の建設が計画（平成六年四月開館）され、他方では各区に一館（当初は方面別であったが、瀬谷図書館以降一区一館建設計画に変更）ずつ建設されていくこととなった。昭和五五年に鶴見・金沢・港北図書館、五七年に保土ヶ谷図書館、六〇年に瀬谷図書館、六一年に旭図書館、六二年に港南・神奈川図書館、平成元年に泉・栄・中図書館、四年に南図書館が開館、さらに分区にともない、七年に緑・都筑図書館が誕生し、西区にある中央図書館以下全区に図書館が建設された。建物は独立館六（中央を含む）、併設館一二となっており、収容能力は戸塚、保土ヶ谷、金沢、港北、山内が一五万冊～二〇万冊、他の一二館は六万冊～一一万冊の規模である。中央図書館は一五〇万冊の収容能力をもっている。

以上の館はそれぞれの地域性により、住民の要望にそいつつ独自の活動を展開している。いくつか例をあげてみると、鶴見図書館では郷土資料の出版活動に力を入れ、『鶴見の百年』『鶴見線まっぷ』『鶴見の坂道』などを刊行した。中図書館では外国人や帰国子女のために、英語・中国語・韓国朝鮮語などの資料の充実をはかっている。また、港南図書館では港南区がスペインの都市との交化交流があることからスペインに関する資料を収集している。など各館はその特性を生かしつつ地域との結びつきをはかっている。

(なお、磯子図書館については、平成一〇年度磯子区役所とともに再整備され、一一年一一月一六日磯子区総合庁舎地下一階に移動開館した。)

横浜市中小企業指導センター

沿革

一九九六年一〇月に現在地に移転してきた中小企業指導センターは中小企業の経営診断や経営相談を行なう横浜市経済局の機関である。同ビル内には㈶横浜産業振興公社があり連携して業務をすすめている。

中小企業センターの一角にある資料コーナーは元来、センター職員の手持ち資料の共有化を目的に作られたものであり、職員が経営相談に応じる際に使用する資料を集めたライブラリーではあるが、一般にも公開され、その収集分野を絞っていることで十分、専門図書館としての機能に耐え得る内容になっている。また参考図書以外は貸出サービスもしている。自己啓発や社内研修で使用する各種ビデオの無料貸出サービスも行なっている。

所蔵資料

収容一万冊の可動式書架と閲覧席四席を備えた室内には各種参考図書、名簿類、事典類、国や自治体の統計類、会社録、白書類などのほかに、商店経営者向けの雑誌、製造業経営者向けの雑誌がバックナンバーとともに公開されている。また全国の中小企業振興機関のニューズレター類もファイルされ保存公開されている。資料は独自分類を採用しパソコンによる管理を行なっている。中小企業診断士の資格を持つセンター職員が常駐しており、直接来室しなくても電話による相談にも応じている。曜日を決め専門家による「経営相談」、

㊟〒231―0023
横浜市中区山下町二―
電〇四五―六六二―六六三一
Ⓕ〇四五―六五一―三五一八
交ＪＲ京浜東北線、市営地下鉄関内駅下車。
休土・日曜日、祝日。
開午前八時四五分〜午後五時一五分。
利無料。
複不可。

「税務相談」、「労務相談」、「法律相談」の特別窓口相談を開設している。

刊行物――

月刊の情報誌として「中小企業よこはま」を刊行している。

横浜美術館

沿革

横浜美術館は桜木町駅前にひろがるみなとみらい21（MM21）地区の中にある。

平成元年三月、市政百周年記念の横浜博覧会開催にあわせて、国内最大級の壮大な威容をもって誕生したのが待望久しかった横浜美術館である。美術館のコレクションのなかには市民から寄贈された名品が多く含まれている。このことからもこの美術館によせる横浜市民の期待の大きさがわかる。

全体がアイボリー・ホワイトとブルーを主調とした瀟洒でモニュメンタルなこの建物の設計は丹下健三。地上三階建（一部八階）総面積は二万六八二九平方メートルである。

洋画、日本画、彫刻等第一級のコレクションを多数所蔵しているが、ほかにもいくつかの特色をもっている。

所蔵資料

江戸期に開港地だった横浜はまた西洋文化の受け入れ窓口でもあった。そんな幕末期の横浜に住みジャパン・パンチなどを舞台に活躍したイギリス人挿絵画家にチャールズ・ワーグマンがいる。彼はまた日本人に油彩画の技法をはじめて伝授した人でもあった。そのワーグマンに学んだ画家たち高橋由一、五姓田芳柳・芳松、渡辺幽香といった日本の洋画の魁、いわゆる五姓田派の作品のコレクションは横浜市美術館ならではのものといえる。

(住)〒220―0012 横浜市西区みなとみらい三丁目四―一
(電)〇四五―二二一―〇三〇〇
Ⓕ〇四五―二二一―〇三一七
Ⓕhttp://www.art-museum.city.yokohama.jp/database.html
(交)JR京浜東北線、市営地下鉄桜木町駅下車。
(休)木曜、祝日の翌日（振替日）、年末年始。
(開)午前一〇時～午後六時。
(利)閲覧・レファレンス可。
(複)可。

また商業写真の嚆矢下岡蓮杖《れんじょう》が一八六七年に日本ではじめて写真館を開業したのもこの横浜である。場所は美術館からほど近い野毛の地であった。これにちなんで横浜市美術館では写真作品の収集にも力を入れている。写真家スタイケンの夫人やキャパの家族からの寄贈資料など貴重な作品も多い。写真初期の巨匠タルボットから現代の作家までの作品を所蔵し、常設の写真展示室があるのもまたこの美術館の特色のひとつである。

ほかに、明治期に生糸貿易で財をなし、全国から多くの名建築を移築して現在の横浜市中区に名園「三渓園」を作った原三渓（富太郎）や横浜中区に生れ明治の美術界で指導的役割をはたした岡倉天心にちなんだ作家たち、日本美術院創立以来のメンバーである橋本雅邦、横山大観、下村観山、菱田春草たちの日本画作品群もこの館のコレクションの目玉となっている。多くの芸術家を支援しながら、自らも絵筆をとった三渓自身の作品も収集されている。

横浜美術館はまたこれら重要な収蔵美術品の展示のほかに、新しい時代の美術館として情報サービス部門にも力を入れている。

三階には美術の専門図書館「美術図書館」がある。

総面積九三五平方メートル、座席四七の広々とした室内には画集、写真集、美術史、伝記、技法書、展覧会の図録、各地の美術館の所蔵品目録、美術・写真・建築関係の和洋雑誌などがコレクションされている。

コレクション――一〇万冊収容の書庫内には国内外の展覧会図録が館独自分類を使って地域ごとによく整理されている。またピカソ作品の総目録として知られた「カタログ・レゾネ」全三四巻やオリジナル作品集などを収めた貴重書架もある。

中村文庫　横須賀市教育研究所長、鎌倉女子大学教授などを歴任した中村亨氏（一九一四〜）が永年にわたって蒐集してきた美術教科書および美術教育関係の資料一九六一点の貴重なコレクションである。これはただ日本の美術教育の変遷を俯瞰できるものというばかりでなく日本の教育制度を考えるためにも重要な資料といえる。明治初年の無検定の時代から検定、国定、戦後の無検定、そして現在の検定の時代まで各時代の美術教科書は、それ自体が時代の証人であるともいえる。この種のコレクションで現在閲覧できるものとしては国内唯一のもので、研究者、他県美術館などからの利用申し込みも多い。

コレクションの中にはイギリス人ロベルト・スコットボルンの著書を参考に川上冬崖により編まれた西洋方式による日本初の図画教科書『西画指南』（文部省刊前編　明治四、後編　明治八）や明治二五年の「教育ニ関スル勅語」をうけ検定教科書となった川端玉章編画『帝国毛筆新画帖』（明治二七）、最初の国定教科書である『尋常小学鉛筆画手本』『高等小学鉛筆画手本』『尋常小学毛筆画手本』『高等小学毛筆画手本』（明治三七、三八）、また図画教育調査委員会の報告をもとにアメリカの教科書『Text Book of Art Education』を参考にして明治四三年に刊行され昭和初年頃まで国定教科書として使用され、やがて山本鼎らの自由画教育運動の隆盛により衰退していった『新定画帖』などがある。
これらの資料は中村氏が四〇年間にわたって蒐集してきたものでその成果は『日本美術教育の変遷―教科書・文献を中心として―』（日本文教出版、昭和五四）としてまとめられ出版されている。また中村氏自身の幼年時代からの絵画作品も寄贈された。これは各時代の美術教育思潮の成果を知るための重要な資料といえる。これは中村氏の父君が長く保存していたもので、現在は館内の「子どものアトリエ」が保管管理している。
このコレクションには現在も各美術教科書の出版元から、改訂のつど納本されており、さらに拡充が続いている。

刊行物――――

美術館の定期刊行物としては季刊の「RGB」が、子どものアトリエの機関誌として「ヒルコラマガジン」がある。

横浜商科大学図書館

沿革

昭和一六年、横浜第一商業学校として創設された。四一年、短期大学を設立、四三年、四年制大学となり、四九年、商学部三学科の体制となり現在に至っている。

一年生はJR横浜線十日市場駅から徒歩二〇分の緑キャンパス（平成七年春に新設され、中には図書室もある）に通う。

図書館は二階建てで、蔵書数は平成一二年三月末現在、一四万一〇一四冊である。

所蔵資料

蔵書は社会科学部門を主として収集しており、コレクションとしては次の二つがある。

松本記念文庫　本大学の創立者である、理事長・学長であった松本武雄氏（一九〇三～八六）を顕彰する目的で設けられたもので、内容は欧米の産業史、企業史、経営史で、社史、実業家伝記を多く集めている。昭和六三年より収集を始めたものである。

木平文庫　本学教授であった木平勇氏（一九一一～八二）の寄贈になる観光関係の図書、雑誌類を主とし、日本交通公社の内部資料や発行物なども含んでいる。昭和五七年創立され、点数は約八〇〇点である。

利用については、閲覧、レファレンス、コピーについて可能である。

㊟〒230—8577
横浜市鶴見区東寺尾四—一一—一
㊢〇四五—五八三—九〇五七
Ⓕ〇四五—五八四—四八七〇
Ⓗhttp://library.shodai.ac.jp/
㊇京浜急行生麦駅より徒歩十五分。
㊐午前九時～午後六時（月～金曜日）、午前九時～午後一時（土曜日）。
㊡日曜日、祝日。

横浜女性フォーラム情報ライブラリ

沿革

㈶横浜市女性協会が運営する集会施設「横浜女性フォーラム」に設けられた図書館である。戸塚駅からすぐの柏尾川のほとりに建っている。一九八八年四月に開館。

情報ライブラリは、入口を入ってすぐ右手のスペースを占めている。女性問題に関する資料が総合的に収集されており、自由に利用することができる。

所蔵資料

資料は、図書、ビデオ、逐次刊行物、新聞クリッピングなど多岐にわたっている。

図書は、女性に関する資料を独自の分類体系のもとにならべてある。A．女性論とその周辺、B．生きかた・しごと、C．こころとからだ、D．生活と芸術・文学、E．情報と社会、F．国際協力と開発、といった具合に大きく六つの分野に分けられ、その中がさらに細かく、例えば、A—1女性に関する法律・施策、A—2フェミニズムとその周辺、A—3女性事情、というように分類されている。D—2は、女性作家による文学である。女性史から女性の地域活動、文学まで幅広い女性に関する資料が実にわかりやすく配架されているのでとても利用しやすい。三万冊を目標に収集に努めている。

ビデオは、図書と同様に分類されており、ビデオコーナーで備えつけの目録から資料番号を選んで指示すると自動的に視聴できる。

㊟〒244—0816
横浜市戸塚区上倉田町四三五—一
㊐〇四五—八六二—五〇五八
Ⓕ〇四五—八六五—四六七一
Ⓗhttp://www.women.city.yokohama.jp/
㊋JR戸塚駅徒歩七分。
㊊午前九時三〇分～午後九時、午前九時三〇分～午後五時(日曜日、祝日)。
㊡木曜、祝日の翌日、年末年始。
㊒無料。

逐次刊行物は、女性に関する約一三〇タイトルの日本語雑誌、海外の女性誌約二〇タイトルのほか、関連のミニコミ、ニューズレターなど約一五〇タイトル、国や自治体が発行する女性問題に関する情報誌約二二〇タイトルとたいへん豊富である。また、全国の新聞に掲載された女性グループの活動や女性問題に関する記事がクリッピングされてテーマごとにファイルされているので便利に利用できる。

このほか、特筆すべき資料として一九七〇年代のウーマン・リブを担った女性たちの作った「ビラ」「パンフレット」などが、「一九七〇年代女性運動資料」として光ディスクに収録されており、端末画面に呼び出して利用できるようになっている。

所蔵資料はホームページに公開されており、インターネットで検索することができる。雑誌の最新号やレファレンスブック等を除くとほとんどの資料が館外貸出を受けられる。ビデオは、個人貸出を行っていない。

さらに、新聞・雑誌の記事等からとった最新の職業関連情報を業界・職種別、テーマ別にファイルした「職業情報ファイル」が用意されており、情報源として活用されている。館内には、「フォーラメディア」と名づけられた㈶横浜市女性協会が運営するオンライン情報ネットワークを検索する端末も用意されている。イベント情報や仕事やくらしに役立つ問い合わせ情報などを調べることができる。公共機関や民間のグループから寄せられた講座や催しのお知らせちらしもたくさん置かれている。

女性に関する様々な情報を気軽に入手できる居心地の良い貴重なライブラリである。

横浜市立大学学術情報センター

沿革

本大学は明治一五年、横浜商法学校として開学し、以後変遷を経て、昭和三年、横浜市立商業専門学校（Y専）となり、同一九年、横浜市立経済専門学校と改称した。そして、戦後の学制改革により、二四年、同校を母体に横浜市立大学が設立され、商学部が開設された。二七年、横浜医科大学を母体とする医学部を増設するとともに、文理学部を新設し、三学部となった。そして、三六年には医学部は大学院医学研究科博士課程が開設された。

現況

その後、平成八年四月、文理学部を改組し、国際文化学部と理学部を新設し、四学部となった。また、付属施設として、図書館の他に、経済研究所、医学部病院、医学部、看護短期大学をもっている。大学のキャンパスは二つあり、いづれも横浜市内の金沢区にある。瀬戸キャンパス（商・国際文化・理学部と医学部の一年次と二年次前半）は、昭和六二年に開設された。福浦キャンパス（医学部二年次後半～六年次）はJR新杉田駅から京浜急行金沢八景駅に至る金沢シーサイドライン市大医学部駅下車徒歩三分のところにある。これらに加えて南区浦舟町に医学部病院がある。

情報センターの本館は瀬戸キャンパスにあり、福浦キャンパスには医学情報センターがある。また、浦舟町には情報センターの浦舟病院図書室がある。蔵書冊数は平成一二年二

㊟〒236―0027
横浜市金沢区瀬戸二二―二
㊫〇四五―七八七―二〇七五
Ⓕ〇四五―七八七―二〇五九
Ⓗhttp://opac.yokohama-cu.ac.jp/
㊮京浜急行金沢八景駅より徒歩五分。

㊐午前九時一五分～午後八時（月～金曜日）、九時一五分～午後四時四五分（土曜日）。
㊡日曜、祝祭日、毎月第四木曜日午前。その他。
㊢要事前連絡。

月末日現在で六三万七〇〇〇冊である。

所蔵資料――――

蔵書内容としては、本館では社会科学関係（特に経済関係）と歴史学関係（特に日本史関係）が比較的充実しており、医学情報センターにおいては、医学関係が殆んどで、雑誌が中心となっている。

コレクション――――

地方史資料　各県の地方史、すなわち、古風土記から国藩史誌、県史誌、郡史誌、皇国地誌、府県史料、市町村史誌、県市議会史、地方誌、史跡名勝、年表、案内に及ぶ約三万五〇〇〇冊。創設は昭和三五年で、「地方史文献総合目録　上・下・索引」（阿津坂林太郎編　巌南堂書店　昭和四五・四七・五一年）が刊行されている。

社史・産業史・経済団体史資料　明治以降の会社史、団体史、官庁関係史など、約二万五〇〇〇冊。創設は昭和三五年で、四九年に「会社史・経済団体史目録」が刊行されている。

本邦統計資料　明治以降発行された主要な経済・産業統計資料、約四万冊。創設は昭和三四年で、「経済と貿易　九九号」（昭和四四年）に「本邦統計資料目録」が収録されている。

梵暦蒐書　最後の梵暦家といわれる工藤康海の旧蔵書一一三点、一五二冊。江戸時代の梵暦関係書のコレクション。

古地図コレクション　江戸時代に我が国で製作された世界図を中心とするコレクション

で、五七点。本コレクションと鮎沢信太郎文庫をあわせると古地図に関して我が国有数のコレクションとなる。昭和四三年に「地理関係図幅目録稿」、平成二年に「鮎沢信太郎文庫目録」が刊行されている。

三枝博音文庫　本大学学長在任時に旧国鉄の鶴見事故で不慮の死を遂げた三枝博音（一八九二～一九六三）の旧蔵書、約六六〇〇冊。内容は江戸時代の科学・技術史、西洋哲学、日本思想史など、多分野にわたっている。創設は昭和四一年で、「三枝博音文庫目録　和漢書の部一、二、和書の部、洋書の部」（昭和四三、四四、五〇年）が刊行されている。

労働運動資料　明治期以降の労働運動史関係資料および地方労働委員会年報、年誌など、約五〇〇〇冊。創設は昭和三五年で、「経済と貿易　一〇二号」（昭和四六年）に「本邦労働運動史文献目録」が掲載されている。

書誌・目録　約三万六〇〇〇冊、各地方の郷土資料目録、古文庫目録は他館にないものを含んでいる。昭和五三年に「書誌目録」が刊行されている。

日本人物文献　約六〇〇〇冊。特に地方史資料・社史のうちから人物情報を発掘することに努め、また、近代の政治家、財界人の伝記が比較的揃っている。昭和五五年に「人物文献目録―日本人―」が刊行されている。

鮎沢信太郎文庫　元同大学地理学教授であった鮎沢信太郎（一九〇八～六四）の旧蔵書四〇〇〇冊。マテオ・リッチ世界地図研究、江戸期の世界地理学研究、それらを包括した書誌研究の基礎となったコレクション。江戸時代の古地図（二〇〇点）、同古地理書（六〇〇点）は系統的網羅的に集められた価値の高い集書。創設は昭和五六年で、平成二年に「鮎沢信太郎文庫目録」が刊行されている。

次にあげる三つのコレクションは、横浜市立大学医学情報センターのコレクションである。

高田文庫　群馬県の醸造家高田家の収集した江戸時代中期から明治初年にかけての医史学関係書で、本草・漢方・蘭方等の古書、一〇三一冊。創設は昭和二三年で、二七年に「医史学主要書目」が刊行されている。

鈴木文庫　横須賀市在住の鈴木秋之助（年没年不詳）の旧蔵の古医書、三八四冊。江戸時代中期から明治初年にかけてのもので、人体骨格についての「各骨真形図」（各務文献、文化七年）、人体解剖の「解体発蒙」（三谷樸著、文化一〇年）や「解体新書」、「ブランカールト内科書」などが含まれている。創設は昭和二四年である。「医学情報センター古医書目録」が平成一〇年に刊行されている。

安西文庫　横浜市戸塚区の開業医であった安西安周（一八八九〜一九六一）は医業のかたわら日本古医学の研究に没頭したことで知られるが、その旧蔵書約一〇〇〇点。内容は明治・大正期の医学関係の書籍、雑誌、小冊子、肖像写真等である。創設は昭和四八年。

一般の利用については、一八才以上を対象に閲覧、レファレンス、コピーサービスは可能であるが事前に照会を要する。

横浜市歴史博物館

横浜市営地下鉄「センター北」駅の周辺は、商業地、宅地として開発が進んでいるとはいえ、いまだにかつての田園地帯の雰囲気を色濃く残しており梅林や畑もそこここに見受けられる。そんな静かな環境のなか、地上に出た地下鉄の車窓からも一際目立つのが横浜市歴史博物館である。

横浜21世紀プランによる港北区・緑区にまたがる港北ニュータウン計画の中心と位置付けられて一九九五年一月に開館した横浜市歴史博物館は、中区にある横浜市立開港資料館が横浜開港後を主に研究対象としているのに対し、開港以前を中心に横浜市域の歴史的沿革を広く俯瞰することを目的とした総合歴史博物館である。

博物館に隣接した丘には弥生中期のムラと墓地跡が国の史跡に指定されている野外施設「大塚・歳勝土遺跡公園」があり、園内には、地元の名主や組頭を長くつとめた「長沢家」の江戸中期の住宅が復元されている。ここは歴史博物館として最もふさわしい条件が備わっているといえる。この大塚・歳勝土遺跡公園には博物館の屋上からの連絡橋からも行くことができる。

横浜市歴史博物館は従来の博物館のように美術品、歴史資料を展示するのはもちろんだが、それとともに学術的に価値の高い歴史資料を体系的に調査・研究・収集・展示し、さらにその情報をも公開することを主眼としている新しいタイプの博物館である。館内は

㊟〒224―0003　横浜市都筑区中川中央一―十八―一
㊫〇四五―九一二―七七七七
Ⓕ〇四五―九一二―七七八〇
Ⓗhttp://www.rekihaku.city.yokohama.jp/
㊯市営地下鉄センター北駅下車。
㊡月曜、祝日の翌日、年末年始。
㊫有料（但し図書閲覧室のみの利用は無料）。
㊋可。

「横浜に生きた人々の生活の歴史」を基本理念とし、「変わる横浜の形」、「村に生きる人々」、「人と物の流れ」という三テーマを具体化する形で展示が構成されている。これまでの大都市の歴史博物館が古都、城下町などを舞台に貴族、大名といったいわば上からの視点で歴史を辿っていたのに対し、文化を支え創っていったより下層の人々をも等しく取り上げている。

館内は企画展が開かれる「企画展示室」と「歴史劇場」、「通史展示室」、「スタディサロン」、「映像コーナー」からなる広い常設展示室から構成されている。

「歴史劇場」ホールは館の導入部であり、上映される映像は横浜の歴史を概観するものであるとともに横浜市歴史博物館の展示のガイダンスの役割をもはたしている。

通史展示室は「原始Ⅰ」、「原始Ⅱ」、「古代」、「中世」、「近世」、「近現代」の六時代の展示室が円形にスタディサロンを囲む配置になっている。これは従来の博物館のように時代を追う形の導線を設けないで来館者が自由に展示を楽しめる工夫であり各展示室では現物資料、グラフィック資料、映像資料、複製資料などで各時代を身近な観点から知ることができる。

スタディサロンはこの館なればこその工夫がされたコーナーである。ここでは常駐するレファレンサーが展示についての疑問にこたえてくれる。またより専門的な質問には図書閲覧室や各専門の学芸員へと引き継いでもいる。ここにあるコンピュータ端末からは博物館収蔵の主な優品資料や市域の文化財が検索できる。また子どもたちに横浜の歴史に親しんでもらうおうと歴史クイズ「Q&Aシステム」のサービスもある。

常設展示室の入り口近くには無料で利用できる「図書閲覧室」がある。座席一二席の小さな図書室ではあるが蔵書はよく整理され、横浜の郷土資料、歴史関係資料のほか、各種研究機関の研究紀要類、各地の類似施設の図録、案内パンフレットなどが集められており、とくに埋蔵文化財報告書のコレクションは充実している。室内の端末からは図書文献類、雑誌、雑誌論文が検索できるほか、国立歴史民俗博物館の「データベースれきはく（国立歴史民俗博物館館蔵資料データベース）」ともオンラインされている。

AVシステムとして常設展示室にはいってすぐのところに「映像コーナー」がある。四台のブースでは横浜市の歴史や文化財の映像番組を見ることができる。番組の種類は「横浜の歴史と民俗」、「横浜もののはじめと伝統」、「十八区史」、「指定・地域文化財」、「日本通史」などに分かれている。またこのシステムはスタディサロンで利用することもできる。

横浜市歴史博物館の研究の成果として「横浜市歴史博物館紀要」を刊行している。

横浜市労働情報センター資料室

横浜市の中心部、大通り公園に面して建つ横浜市技能文化会館の三階にある横浜市労働情報センター資料室は労働問題に関する専門図書館である。窓外には大通り公園の樹々の緑が望まれる。同じフロアーに労働問題全般にわたる各種相談に応じている「労働相談コーナー」があり、横浜市労働情報センター資料室はそのバックヤードとしての機能ももっている。資料は館外貸出しもしており、電話によるレファレンスも受けつけている。

蔵書は労働問題や労働関係の専門図書のほか、社内報の作り方や服務規程の作り方といった企業の労務担当者向けの実用書もあり、各種法令集なども揃っている。

逐次刊行物は労働関係の専門誌が中心である。ほかには全国の労働関係行政機関が発行する機関誌、統計書なども充実している。これらのバックナンバーは昭和六一年四月の開館時からのものをほぼ完全に保存している。労働省の記者発表報告の収集には特に力を入れており各主題ごとに分類整理し公開している。これらは担当者が直接労働省に出向き収集に努めている。

文庫として門司亮氏からの寄贈資料がある。門司氏は明治三〇年生まれ、戦前日本労働総同盟横浜支部連合会会長、横浜市会議員などを歴任、戦後は神奈川県会議員、衆議院議員などを勤めた。コレクションは戦前から戦後にわたる労働組合、労働運動史など約六百点。普段はガラスケース内に保管されているが、希望すれば館外貸出しもしてくれる。

㊟〒231―0031 横浜市中区万代町二―四―七市技能文化会館内
㊫〇四五―六七一―二三四三
Ⓕ〇四五―六四一―九七七五
Ⓗhttp://www.city.yokohama.jp/me/shimin/rodoj oho/index.html
㊋JR・市営地下鉄関内駅下車。
㊡土・日曜日、祝日、年末年始。
㊍午前八時四五分〜午後五時一五分。
㊓無料。
㊗可（別室に複写機あり）。

横浜マリタイムミュージアム

横浜マリタイムミュージアムの誕生は、運輸省の練習帆船「日本丸」の現役引退に端を発する。使命を終えた日本丸が落ち着き先を検討していた際には各地から日本丸誘致の声が上がったが、そのなかで横浜市が、MM21地区の再開発のシンボルとして誘致に成功した。横浜市はその誘致の条件に付属展示館の構想を提示したのである。その展示館構想とは、MM21地区にそれ以前にあった三菱横浜造船所の、産業遺跡としても重要な一号ドックに日本丸を係留し、それに隣接して展示館、研修所を建設し、青少年の錬成、海事思想の普及に活用するというものであった。横浜市にはそれ以前にも海洋博物館があった。横浜マリンタワーの三階にあった昭和三六年開館の「横浜海洋科学博物館」がそれである。しかし開館から時間がたっており施設は老朽化し、増え続けるコレクションに対してスペースも狭隘化していて、横浜市長に新しい施設の要望書を提出されていたところだった。横浜市港湾局は、この要望にこたえるための施設と文化財としての一号ドックおよび日本丸の保存を合体することを考え、その結果生れたのが横浜マリタイムミュージアムであった。開館は平成元年三月であった。横浜マリタイムミュージアムはまわりの景観、とくに日本丸の展望を考慮して建物を極力低く作ってある。「横浜港と日本の近代化」を基本テーマとした二四六九平方メートルの広い展示室には船と港を知るための数々の資料が収集展示されている。

㊟〒220―0012 横浜市西区みなとみらい二―一―一
㊢〇四五―二二一―〇二八〇
Ⓕ〇四五―二二一―〇二七七
㊋JR京浜東北線、市営地下鉄、東急東横線桜木町駅下車、徒歩七分。
㊡月曜日、祝日の翌日、年末年始。
㊎午前一〇時～午後五時（七・八月は午後六時三〇分迄、一一～二月は午後四時三〇分迄）。
㊇有料（但し、ライブラリーのみの利用は無料）。

主なものとして四八分ノ一縮尺の「あるぜんちな丸」の模型（三メートル五〇センチ）をはじめとする数多くの船の模型がある。また航海用具、コンテナクレーンの模型や荷役の道具などもある。また港内三ヶ所に設置されたカメラを使いリアルタイムに横浜港をスクリーンで展望することができるコーナーや操船シュミレーションなどがある。

地下一階常設展示室の一角に「横浜マリタイムミュージアムライブラリー」がある。広さは二〇八平方メートルで閲覧席二四席と、八席のビデオブースがある。このライブラリーにはミュージアム利用者は自由に入れるが、ライブラリーだけを利用したいときにはミュージアム受付けで申し出れば無料で利用できる。開架スペースは約三〇〇〇冊で、公開されている図書、雑誌は自由に閲覧できるし、書庫内資料は常駐する職員に申し込めば利用できる。目録はカード式で著者、書名、分類の三種類。収集資料の分野は港湾、港運、造船、航海、海運、貿易、横浜とその周辺などであり、分類はＮＤＣ新訂8版を使用し「造船」「海運」「港運」「港湾」の分野は独自展開をしている。蔵書には船舶名簿であるイギリスの「ロイズ船名録」の一九〇〇年から三〇年にかけてのものといった貴重な資料が含まれている。また造船会社、海運会社などの社史も多く集められている。ビデオブースのソフトは「港」「船」「海」「横浜」の四つのテーマに分けており、手元の操作キーにより自由に視聴することができる。レファレンスは口頭、電話、文書のいづれでも受けつける。現在管理運営は㈶帆船日本丸記念財団が行なっている。

神奈川県立川崎図書館

JRあるいは京浜急行の川崎駅から東の方向へ歩いて一五分ほどのところに県立川崎図書館はある。建物は、築四〇年と相当年季が入っている。

沿革

県立川崎図書館が開館したのは、一九五九（昭和三四）年一月。横浜紅葉ケ丘の県立図書館（一九五四年開館・59頁参照）に次ぐ、神奈川県としては二館めの県立図書館であった。

横浜に県立図書館が開館したあとに設置されることになった県立図書館であること、京浜工業地帯中枢の工業都市として発展を遂げていた川崎市に設置する図書館であることから、公共図書館ではあるけれども、工業や産業技術に重点を置いて資料を収集し、サービスを展開していくというユニークな方針が開館当初から掲げられていた。

この方針を具体的な形で示したのが、開館時に設けられ、一九七二（昭和四七）年までその名称で続いた「商工資料室」であった。特許資料や工業規格、技術分野の専門雑誌などの充実に力が入れられ、また図書資料の収集においても工業・工学および自然科学の分野（N.D.C.の4門、5門）の比率が四〇％前後を占めるようにしていく方向で資料の整備が進められていった。

川崎市立の図書館が地域になかなか設置されなかったこともあって、地域の公共図書館

(住)〒210-0011　川崎市川崎区富士見二-一-四
(電)〇四四-二三三-四五三七
(F)〇四四-二一〇-一一四六
(H)http://www.klnet.pref.kanagawa.jp/
(交)JR京浜東北線・京急川崎駅から徒歩一五分。
(開)午前九時-午後七時、土日は午前九時-午後五時。
(休)月曜、毎月第二木曜日、国民の祝日、（一部開館）年末年始、（特別整理期間）。
(複)可。

としての役割をも果たしながら親しまれてきたが、一九九八（平成一〇）年四月からはその役割を川崎市立の図書館に任せ、リニューアルして新たなスタートをした。設置の経緯を踏まえた地道な資料収集とこれまでのサービス実績を土台として、全国でもあまり例のない科学技術、工学・産業分野の資料とサービスを前面に打ち出した公共図書館となった。

リニューアル後、これまで子どもの本や一般向資料が置かれ地域図書館としての機能を果たしていた一階は、特許公報類、工業規格等を中心としたフロアとなった。また、児童、青少年向けの科学の本を並べた「やさしい科学」のコーナーを設けた。やさしい科学のコーナーにはCD—ROM版の図鑑などを利用できるパソコンも置かれている。

三階は、この分野の雑誌と図書を中心とした閲覧室である。特筆すべきは、関連する分野の資料を集めてならべる「クラスタ」による配置を試みている点である。例えば化学（NDC430）と化学工業（NDC570）は関連の深い分野だが、通常は、NDC順に並べると遠く離れて配架され、不便である。それを隣接させて配架し、利用の便をはかろうとする試みである。

さらに、通常の流通販売のルートにのらない官公庁や研究機関等から刊行される出版物を積極的に収集する方向を打ち出し、「灰色文献コーナー」を三階カウンター前に設けている。

四階は、「社史閲覧室」であり、会社史コレクションの全て（後述）を実際に手にとって閲覧することができるようになっている。

特色ある資料群を紹介する。

蔵書――自然科学、工学・工業分野の専門書に重点を置いた収集がされている。全蔵書約一九万冊のうち、N．D．C．の4、5、6門が六〇％を越える比率となっていて、普通の公共図書館では収集しきれていないものもかなり収集できている。この分野の充足度には高いものがある。三階の閲覧室に約三万冊が公開されている。

コレクション――

会社史コレクション　産業史、技術史などの研究資料として価値が高く、通常の販売ルートではなかなか入手しにくい会社史が特別コレクションとして開館直後から収集されている。収集範囲は、会社史のほかに経済団体史、労働組合史にも広げていて、現在総数約一万点を越える国内有数のコレクションとなっている。収集は、様々なメディアに掲載される刊行情報に気を配り、刊行が確認されたものについて寄贈を依頼するという方法で行っている。

冊子体の目録は「社史・労働組合史目録」（一九九〇）が最新。館内にあるカード体の「会社史目録」によって会社名や業種からも検索ができる。もちろんKL―NET（後述）で所蔵を検索することも可能。なお館外貸出を通常の図書と同様に行っていることは特筆される。

また特別にコレクションという位置づけはされていないが、実業家の伝記についても収集に力を入れ、関連資料として「社史閲覧室」に配架されている産業史研究の資料として貴重なものも多い。

雑誌・学会論文集　全部で約四一〇〇タイトルが所蔵されており、うち約二〇〇〇タイトルの最新号が三階の科学技術資料室に配架されている。バックナンバーは書庫内にあり、カウンターで請求して利用する。戦前からのバックナンバーを揃えているタイトルもある。

環境、建築土木、機械、電気、化学等の工業技術関係専門雑誌を中核に、自然科学系のものもある。学協会誌、民間企業の技報、研究所報告、学会論文集の収集にはとくに配慮されている。

外国語雑誌は残念ながら三〇タイトルほどしか収集されていない。

抄録・索引誌　雑誌文献等を調べるための抄録・索引誌としていくつかの主要なものを揃えている。

化学文献を調べる「Chemical Abstracts」は、一九四一年（Vol.35）から冊子体で所蔵されている。県内の公立機関で利用できるのはここだけである。

「科学技術文献速報」は化学・化学工業（国内・外国）、エネルギー、機械工学、電気工学、環境公害、ライフサイエンス、物理・応用物理の各編をCD—ROM版で利用できる。そのほか「国立国会図書館雑誌記事索引」もCD—ROM版で利用できる。

工業規格類　産業技術分野の基礎的な資料として次のような工業規格が収集されている。

日本工業規格（JIS）は、全部門を所蔵。改訂、廃止等は毎月差し替えが行われており、常に最新の状態で維持されている。

海外規格では、ＤＩＮ（ドイツ規格協会規格）がハンドブックの形態のもので所蔵されている。また、ＡＳＴＭ（米国材料試験協会規格）が数年ごとに更新されながら所蔵されている。

特許資料　知的所有権センター支部に指定され、神奈川県に四か所ある特許公報閲覧機関のひとつとして特許庁から工業所有権公報類の送付を受けている。
平成一二年一月からは、特許庁と専用回線で結んだ「特許電子図書館情報検索システム」（ＩＰＤＬ）の専用端末機が設置され、海外主要特許公報も含んだ情報提供サービスが始められている。

視聴覚資料　ビデオテープ、一六ミリフィルムを所蔵しているが、収集分野をかなり限定している。館の特色にそって、産業安全、労働衛生、科学技術といったテーマのもののみを収集し、団体登録をした事業所等に貸出している。産業安全教育や研修の目的で利用されている。

以上のような特色ある資料群をもってサービスが展開されている。貸出、レファレンス、コピーサービスは、通常の公共図書館と同じく行われている。

貸出は、県内在住、在勤、在学が登録の要件。登録に際しては住所の確認が必要である。六冊まで三週間貸出が受けられる。特許・規格類、レファレンスブックと雑誌以外の資料はほとんど貸出を行っている。

コピーサービスの受付は閉館の四〇分前までとなっている。毎日大量に雑誌文献や特許資料のコピーが申し込まれているが、国会図書館等と比べて迅速な対応で、できあがりまでの待ち時間が長くないので、効率的に文献情報の収集ができる。

レファレンスは、一階と三階のカウンターで受けている。電話、文書でももちろん受けてくれるが、二〇〇〇年三月からは電子メールによる受付も始めている。科学技術分野の特定テーマについての文献に関するものが多い。「代行検索」はできないが、検索ツールのひとつとして、JOISなどのオンラインデータベースを使用する場合もある。

さらに文献情報を図書館へ出かけなくても入手できる「在宅利用文献複写サービス」を行っている。郵送による送付のほか、できるだけ早く提供するために、ファクシミリでの送付も著作権に配慮しながら行っている。詳しくは、館あてに問い合わせをしてほしい。

県立の二図書館（横浜・川崎）の所蔵資料は、KL—NET（神奈川県図書館情報ネットワークシステム）で共通のデータベースになつている。二〇〇〇年三月には、このKL—NETが、インターネット対応のシステムとなり、自宅のパソコンからも直接検索することができるようになった。県内の市町村図書館等とはネットワーク化されていて、どの市町村図書館からでも所蔵の確認ができる。物流のシステムも確立しているので、神奈川県内の最寄りの市町村図書館に申し込むと川崎図書館の資料が届く仕組みである。有効に活用すると効率的な資料の入手が可能である。

川崎市公文書館

沿革

川崎市の情報公開の拠点である川崎市公文書館は中原区の等々力緑地にある。府中街道に面して建つ地上三階地下一階、延べ床面積二四五一平方メートルの建物には簿冊文書、箱管理文書が収容されている。開館は昭和五九年一〇月である。

いまでは当たり前になっている自治体の情報公開制度であるが、川崎市公文書館が構想された昭和五六年当時はまだ情報公開条例も制定されておらず、ここが政令指定都市としては初めての情報公開センターの開館であった。

所蔵資料

自治体では完結した文書をそれぞれ年限を定め保存している。川崎市では公文書館以外にも各種保存文書を五年、一〇年、永年に分けて各所管課、行政情報課でも保存しているが、川崎市公文書館では当初二〇年間を想定していた書庫もすでに満杯状態であり、今後資料のマイクロ化や永年保存文書の年限を三〇年に見直すなどの方策を検討中である。また同館の業務のひとつに『川崎市史』の編纂があり、平成八年の完結後にはそれに際して収集した文書類の整備、公開も新たな課題となっている。

現況

一階に相談コーナーがあるほか二階には座席一六席の閲覧室、マイクロフィルム閲覧室、

Ⓣ〒211―0051
川崎市中原区宮内七三〇―一
Ⓣ〇四四―七三三―三九三三
Ⓕ〇四四―七三三―二四〇〇
Ⓗhttp://www.city.kawasaki.jp/16/16koubun/home/index.htm
Ⓚ JR南武線、東急東横線武蔵小杉駅、バス等々力グラウンド下車。
㊡月曜日、祝日、五月四日、年末年始。
㊎午前八時半～午後五時。
㊑無料。
㊒可。

市政資料閲覧室、それに古文書講座、歴史講演会などが開かれる会議室が一般に公開されている。市政資料閲覧室には市議会の会議録や全国の自治体の情報公開関係資料、県内自治体の統計書、住民基本台帳、会計予算書などが幅広く収集公開されているほか郷土歴史資料も整備されており、なかには昭和一〇年刊の『待望丸子橋』、昭和二年刊の『多摩川右岸農業水利改良事業計画書』といった貴重なもの（写し）も用意されている。

川崎市市民ミュージアム

沿革

川崎市市民ミュージアムは川崎市のほぼ中央、中原区の多摩川に面し自然環境に恵まれた等々力緑地のなかに位置している。

開館は昭和六三年一一月。有料ゾーン、無料ゾーンからなる延べ床面積二万平方メートルの広さをもつ建物は菊竹清訓の設計になる。建物を俯瞰すると全体が「C」の字形になっているのはcitizen（市民）・culture（文化）・community（地域社会）のそれぞれの頭文字と符合している。

現況

館全体は従来の博物館・美術館・映像センターの三つの機能を融合したといえる施設であり、これはこの館がそもそも「川崎市博物館構想」、「漫画・写真・映像文化センター構想」の二構想の一体化に端を発していることからきている。

川崎市市民ミュージアムの基本テーマは「都市と人間」であり、この館は従来のミュージアムの概念では図れないいくつもの特徴を持っている。

二階有料ゾーンには従来の博物館にちかい機能をもつ「考古・歴史・民俗展示室」、「企画展示室」、「特別展示室」とこの館ならではのものといえるユニークな「グラフィック・写真・漫画展示室」がある。

㊟〒211―0052　川崎市中原区等々力一ノ二
㊢〇四四―七五四―四五〇〇
Ⓕ〇四四―七五四―四五三三
Ⓗhttp://www.citty.kawasaki.jp/25/25heiwa/home/museum.htm
㊡JR南武線武蔵中原駅下車徒歩一〇分。
㊡月曜、祝日の翌日。年末年始。
㊊午前九時三〇分～午後五時。
㊒有料（図書閲覧コーナー等、無料ゾーンあり）。
㊝可。

「考古・歴史・民俗展示室」のテーマは「水と共同体」である。村の水（民俗）、水と生活（考古）、川と墓と文化（考古）、多摩川と村（歴史）、宿場と旅（歴史）、都市と水（歴史）の六つのテーマをもって展示がされている。この展示室を補完する形で二階にあるのが「特別資料室」（有料）である。考古・歴史・民俗資料のうち「考古・歴史・民俗展示室」のテーマから外れたもので地域に密着した貴重な資料の展示を行なっている。

コレクション――――――

「特別展示室」は美術文芸のゾーンである。ここには川崎ゆかりの作家たちの資料が展示されている。

岡本かの子（一八八九〜一九三九）は作家。高津村二子の旧家大貫家の東京市青山南町にあった別邸で生まれ川崎で育った。その生涯は波乱に富み短歌、小説に大輪の花を咲かせる一方その一生自体がドラマのようなスケールで、その作品の評価はいまに続く。エッセイなどに川崎時代の思い出を多く書いている。

佐藤惣之助（一八九〇〜一九四二）は詩人。川崎宿の旧本陣に生まれ育ち、早くから俳句、劇作に熱中し佐藤紅緑、小山内薫、吉井勇らと交遊した。千家元麿、福士幸次郎、木村荘八、岸田劉生らと「テラコッタ」を創刊、次第に詩作を多くするようになった。生涯に二二冊の詩集を上梓したが、より世に知られたのは歌謡曲の作詞においてで昭和五年川崎市の委嘱による「川崎音頭」、「川崎小唄」があり「赤城の子守歌」など多数をヒットさせた。

濱田庄司（一八九四～一九七八）は陶芸家。溝の口に生まれる。東京高等工業学校で陶芸を学び二六才のときにはじめて栃木県の窯場益子をたずねる。長く英国に学び帰国後は柳宗悦、河合寛次郎らと民芸運動をすすめる。昭和一八年に芸術選奨文部大臣賞を受賞、三〇年には第一回人間国宝の指定をうけ、その後文化勲章、文化功労賞、川崎市文化賞などをうけた。

また「特別展示室」には岡倉天心の日本美術院を舞台に横山大観、下村観山らとともに生糸貿易で財をなした豪商横浜の原三渓の援助を受け活躍した安田靫彦（一八八四～一九七八）の作品も収集されている。

「グラフィック・写真・漫画展示室」こそは川崎市市民ミュージアムならではの前例をみないユニークな展示室である。グラフィックはその源流をアール・ヌーボー期、アール・デコ期のポスターにみるように主に商業目的の消費物として誕生したものである。ここにはポスター初期の作品から現代日本の代表的作品まで多数のコレクションがある。さらに写真、漫画、イラストレーションなどは量産を前提に、保存を度外視し、消費されるものであり、遠からず散逸してしまうのが普通である。しかし当時の世相を見るにこれほど適切なものはなく、本来は貴重な文化遺産であることはいうまでもない。

これらにこの館が収集に力を入れている映画、ビデオを加えればそこに見えるものはマスメディアの時代としての現代社会である。まさにこの館が目指しているものは、現代都市市民文化の特徴である複製芸術、コピー文化というものを通して現代社会を再発見、再確認するための展示であるといえる。

漫画作品は横浜で発行されていたワーグマンの挿絵でよく知られる「ジャパンパンチ」など初期の新聞、雑誌、さらに江戸期の「北斎漫画」や岡本一平、近藤日出造、清水崑といった近代漫画の代表作家たち、雑誌掲載のストーリー漫画の作家たちの作品も丁寧に収集されている。

設備

三階無料ゾーンには「図書閲覧コーナー」、「ビデオライブラリー」、「情報サロン」、「映像プレイコーナー」と学習講座のためのスペースがある。

「図書閲覧コーナー」は閲覧室とコンパクター書庫からなり一七九平方メートル。研究者の利用を主眼とした全閉架式の図書室でNDC各分野の図書のほか博物館、美術館の紀要、年報類、図録など二万点以上の資料が閲覧できる。検索はコンピュータとカードの二方式。閲覧席は一五席。

「ビデオライブラリー」は四八三平方メートル。1時事・社会、2学術・文化、3芸術・芸能、4スポーツ、5趣味・実用、6特別収集の各分野の何万点にもおよぶコレクションのなかから約二〇〇〇本のビデオを一般公開している。博物館のビデオライブラリーはしばしば展示物の解説もしくは展示の副次的な位置付けになっているのが普通であるが、川崎市市民ミュージアムではビデオフィルムも他の展示物などと等価値のコレクションと位置付け公開している。同時代性をもった情報化時代のミュージアムライブラリーといえよう。各種映像コンクールの受賞作や戦前・戦中・戦後の日本の姿を残した貴重な「日本ニュース」、各種ドキュメンタリー作品、また内外の秀作コマーシャルまでが広く収集されている。一人用、三人用、五人用のブースが計三〇ブースあり席数は五八席である。

館の玄関前に展示されている巨大なオブジェのようなものは産業遺産として貴重な「トーマス転炉」である。これはドイツから輸入され、昭和一三〜三三年に日本鋼管（現・NKK）で使用されていたもので当時の最新鋭機であり、現存するものはこれが世界で唯一である。見逃せない展示物である

川崎市立川崎図書館

　それまで県立川崎図書館が地域図書館としての役割を担っていた川崎区に一九九五（平成七）年に開館。JR川崎駅に隣接した高層ビル「タワーリバーク」の四階に図書館がある。蔵書約一五万冊。駅前という立地から大変良く利用されている。

　地域に多くの在日韓国・朝鮮の人々が生活していることから「韓国・朝鮮コーナー」を設け、韓国・朝鮮のことをもっと知るための本を積極的に収集している。またハングルで書かれた図書も収集されており、書架に並べられている。

　地域の歴史、民族、文化、地誌等を調査・研究・学習する市民の研究サークル「川崎区誌研究会」が図書館を拠点にして活動を始めている。

㊟〒210―0007
川崎市川崎区駅前本町一二―一川崎駅前タワーリバーク四階
㊫〇四四―二〇〇―七〇一一
Ⓕ〇四四―二〇〇―一四二〇
㊦JR京浜東北線、京急川崎駅徒歩二分。
㊥午前九時三〇分～午後七時（火～金曜日）、午前九時三〇分～午後五時（土・日曜日、祝日）。
㊡月曜、第三木曜（祝日の場合は翌日）、年末年始、特別整理期間。

川崎市立高津図書館

市内では中原図書館についで古い歴史を持つ図書館である。一九二九（昭和四）年、当時の橘樹郡高津町の町民有志が発起人となって町民の寄付により、高津尋常小学校内に発足した高津町立図書館を前身としている。

一九八八（昭和六三）年、東急田園都市線高津駅から徒歩五分ほどの現在地に図書館が移転新築されサービスを展開している。蔵書数約二四万冊、郷土資料の所蔵も約一万一〇〇〇冊ほどある。

図書館を活動拠点としている地域のサークルが多いのもこの館の特色といえる。短歌会、俳句会、読書会、郷土史会があり、定期的に活動を行っている。地域の人々にとっての文化活動の拠りどころとなっているようだ。

㊟〒213−0001　川崎市溝ノ口四−一六−二一
㊫〇四四−八二二−二四一三
Ⓕ〇四四−八四四−七五九四
㊯JR武蔵溝ノ口駅より徒歩一二分、東急田園都市線高津駅徒歩五分。
㊐午前九時三〇分〜午後七時（火〜金曜日）、午前九時三〇分〜午後五時（土・日曜日、祝日）。
㊡月曜日、第三木曜日（祝日の場合は翌日）、年末年始、特別整理期間。

川崎市立多摩図書館

一九五二（昭和二七）年市立稲田公民館図書室として発足、一九六三（昭和三八）年に稲田図書館として開館している。一九七二（昭和四七）年の政令指定都市施行に伴い、市立多摩図書館と改称した。一九九七（平成九）年、小田急線向丘遊園駅近くの多摩区総合庁舎の地下一階に新図書館がオープンし、新たな活動を始めている。蔵書約二〇万冊、郷土資料の所蔵は約一万三〇〇〇冊余である。

多摩読書会と稲田郷土史会が図書館を拠点に活動を続けている。稲田郷土史会は、県内の郷土史研究会の中でも古い歴史を持つものである。

㊟〒214―0014 川崎市登戸一七七五―一
㊣〇四四―九三五―三四〇〇
Ⓕ〇四四―九一一―〇〇三〇
㊋小田急線向ヶ丘遊園駅より徒歩五分
㊐午前九時三〇分～午後七時（火～金曜日）、午前九時三〇分～午後五時（土・日曜日、祝日）。
㊡月曜日、第三木曜日（祝日の場合は翌日）、年末年始、特別整理期間。

川崎市立中原図書館

沿革

川崎市立の図書館の中で、最も古い歴史をもっている。一九二三（大正一二）年、橘樹郡田島町（現在は川崎市川崎区）の田島尋常小学校内に設立された田島町立図書館にその前身をたどることができる。一九二七（昭和二）年田島町が川崎市に編入され、川崎市立図書館となった。

その後設置場所を何回か移ったが、一九五〇（昭和二五）年、川崎市立中央図書館と改称した。一九六〇（昭和三五）年、蔵書を現在地に移し、中原図書館として再スタート、一九七四（昭和四九）年には新館を開館している。蔵書数約二七万冊と各館のなかで一番多い。そのうち川崎地域の郷土資料が約二万六〇〇〇冊を占め、市内で最も充実したコレクションとなっている。

コレクション

郷土資料充実の一環として構築してきた特別コレクションとして次のものがある。

岡本かの子コレクション　岡本かの子は一八八九（明治二二）年生まれ。生家は、橘樹郡高津村（当時）の多摩川河畔に数百年続いた大地主で、幕府、諸藩の御用商を務めた旧家・大貫家である。

一九一二（大正元）年の第一歌集「かろきねたみ」で歌人としての評価を確かなものに

㊟〒211—0063　川崎市中原区小杉町三—四—一七
㊔〇四四—七二二—四九三二
Ⓕ〇四四—七三三—七五二四
㊋東急東横線武蔵小杉駅から徒歩五分。
㊊午前九時三〇分〜午後七時（火〜金曜日）、午前九時三〇分〜午後五時（土・日曜日、祝日）。
㊡月曜日、第三木曜日（祝日の場合は翌日）、年末年始。

し、後には小説家として多数の作品を残した。漫画家岡本一平は夫。画家岡本太郎は子息である。一九三九（昭和一四）年没。

川崎地域に縁の深いかの子の著書や関連資料を、郷土資料の一環として、主として購入により収集してきたコレクションである。一九六〇年ころから収集は始められている。初版本の図書をはじめとして、複数の出版社から刊行されている作品は各出版社のものを収集しているなどかの子の著作をほぼ網羅するコレクションとなっている。図書約一二〇冊余り。

図書以外の関連資料として原稿類、書簡、作品を掲載した雑誌、新聞記事スクラップ、展覧会記事、著作の広告カタログ、写真、色紙等も収集されている。「蔵書目録郷土資料篇第一集」（一九六七）で内容を知ることができる。

佐藤惣之助コレクション　佐藤惣之助は一八八九（明治二二）年、当時の橘樹郡川崎町生まれの詩人。生涯を通じて二〇冊以上の詩集を出しているほか、歌謡曲の作詞でも多数の優れた作品を残している。一九四二（昭和一七）年没。

このコレクションも岡本かの子と同様に川崎出身である佐藤の作品を郷土資料の一環として収集したものである。一九一六（大正五）年刊行の第一詩集「正義の兜」（天弦堂書房）を始めとした代表作の図書はすべて初版本で収集されている。図書の点数九四冊。

その他の資料として、自身が創刊した雑誌「詩之家」等作品を発表した雑誌や「赤城の子守唄」「青い背広で」「湖畔の宿」など佐藤の作詞により大ヒットした歌謡曲のレコードジャケットも収集されている。

川崎市立労働会館労働資料室

沿革

川崎駅から市役所前の通りをバスで五分ほど、労働会館前の停留所で降りると川崎市立労働会館がある。川崎は「労働者の町」と言われる。京浜工業地帯の中核を担う大工場群、さらに周辺には中小企業の工場がたくさんある。労働会館は、川崎市が労働者のための施設として一九七六（昭和五一）年に開設している。労働組合の大会等によく使われる大ホールと各種研修会議室などが設置され、地域労働組合の事務局も入っている。

労働会館の五階にあるのが、労働資料室である。「労働に関する専門図書と資料の宝庫」と案内パンフレットにうたってあるとおり、労働に関する広い分野の資料を収集、提供している。

蔵書

収集分野は、労働関係統計・労働史・国際労働問題等労働問題一般から、雇用政策等が含まれる労働政策、賃金や労働時間等労働条件、労働組合・争議に関する労使関係、失業についてなど雇用問題、職業訓練・能力開発、労働関係法令等々の分野に及ぶ。図書約二万冊、雑誌約五〇誌、新聞二〇紙が主要な資料である。労働組合の機関紙は、産別のもの単組のものなどかなり収集されている。労働組合史の収集も積極的に行っている。新しい労働統計情報の調査にも十分対応できる。

㊟〒210－0011　川崎市川崎区富士見二－五－二　市立労働会館五階
㊫〇四四－二二二－四四一六
Ⓕ〇四四－二四四－五〇九四
㊐午前九時～午後五時。
㊡毎月第二火曜、年末年始、図書整理日（12／26－12／28）。

閲覧席は、三〇席ほど。隣接する事務室に申し込んでから利用するようになっている。専門図書、機関紙など書庫にあるものについては、事務室へ申し出て利用する。資料についての相談にも応じてもらえる。電話での問い合わせも可能である。

労働者、経営者のどちらにとっても役に立つ便利な資料室といえる。もちろん労働問題の研究者にも貴重な情報源である。

聖マリアンナ医科大学医学総合情報センター

㊟〒216−8511　川崎市宮前区菅生二−一六−一
㊔〇四四−九七七−八一一一
Ⓕ〇四四−九七七−九八三五
㊜小田急線向ヶ丘遊園・百合ヶ丘駅下車バス一五分。
㊐午前九時〜午後八時（月〜金曜日）、午前九時〜午後五時（土曜日）。
㊡毎週日曜日。

沿革

一九四七（昭和二二）年に創設された財団法人聖マリアンナ会を母体として、一九七一（昭和四六）年、東洋医科大学として開学、一九七三（昭和四八）年、現校名に改称した。

センターの建物は六階建てで、蔵書冊数は平成一二年三月末現在で一八万八四七一冊である。蔵書内容については医学及びその周辺分野に関する図書・雑誌が主となっている。ちなみに本センターについては、平成九年度より、医学情報の収集・管理・提供の一層の拡充を図るために、「附属図書館」、「視聴覚教育センター」、「メディカルフォトセンター」の三施設を統合して設置されたものであり、図書情報課、教育情報課、映像情報課の三課及び各種委員会によって運営されている。

センターの利用については、原則的には許可していないが、川崎市の医師会員及び教職員の紹介がある場合、センター長の許可により、利用範囲を制限して公開することとしている。

専修大学図書館

沿革――

明治一三年、夜間二年制の専修学校として創立され、同一八年神田の現校舎地に移るとともに昼間部を創設した。大正二年専修大学と改称し、同一二年大学令による大学に昇格、昭和二四年学制改革により新制大学となった。図書館は神田と川崎市生田にあるが、同大学の主体が生田に移されたために、現在は生田が本館、神田が分館となっており、生田にはさらに分室（五号館）がある。

生田本館は本大学の総合図書館として、哲学、歴史学、社会科学、自然科学、文学など、広範囲にわたっている。また、分室は学習用、神田分館は主に法学、政治学関係の図書を収集している。生田本館は平成一〇年四月に設立された一二〇年記念館内にあり、ＡＶプラザ、情報プラザがあり、四階には情報科学センターがある。コレクションの利用については照会を要する。蔵書冊数は平成一二年三月末現在で八三万九〇二八冊である。

コレクション――

菊亭文庫　京都の名家今出川家（菊亭家）に伝わる和歌に関する写本、詠草、雅楽や琵琶・横笛の譜面等で、創設年は昭和四五年、点数は約三〇〇〇点、同文庫目録がある。

小林文庫　本学学長を勤めた小林良正の経済学および経済史を主とした図書約一五〇〇冊からなり、創設年は昭和五一年、同文庫目録がある。

㊟〒214―8580
川崎市多摩区東三田二―一―一
㊫〇四四―九一一―一二七四
Ⓕ〇四四―九一一―〇五三八
Ⓗhttp://www.lib.senshu-u.ac.jp/
㊛小田急線向ケ丘遊園駅から徒歩一八分。
㊐午前九時～午後七時（月～金曜日）、午前九時～午後六時（土曜日）。
㊡日曜日、祝祭日、大学の記念日、年末年始。

コミンテルン関係資料　ミラノのフェルトリネッリ研究所が収集し、出版したリプリント・コレクションで、約三五〇冊からなり、創設年は昭和四三年。

スペイン市民戦争関係資料　約一六〇〇冊からなり、創設年は昭和四八年。

時枝文庫　戦後野球界で名を成した時枝実の収集した体育関係書一六〇〇余冊で、創設年は昭和五〇年。

ドイツ企業史コレクション　約二〇〇〇冊からなり、創設年は昭和五八年。

野原文庫　本学教授であり、歴史的に多くの業績を残した野原四郎のコレクションで、約三〇〇〇冊、創設年は昭和五七年。

蜂須賀家旧蔵本　蜂須賀家収集の鎌倉・室町・江戸期に書写された和歌・物語類など未発表の古鈔本からなる。一二九冊、創設年は昭和四五年、同旧蔵本目録がある。

福永文庫　本学文学部長であった福永忠一の地理学、人類学を中心としたコレクションで約六〇〇〇冊。創設年は昭和五四年。

プリードリッヒ・バイスナー文庫　ヘルダーリンの研究家として著名なバイスナーの蔵書の約三分の一を入手したもので、ドイツ文芸学の研究書を中心としたコレクション一五〇〇余点。創設年は昭和五一年、同文庫目録がある。

堀文庫　戦後労農党の政治家として活躍した堀真琴が収集した政治学関係を中心としたコレクションで、約三〇〇〇冊。昭和五九年創設。

ミシェル・ベルンシュタイン文庫　書誌学者で、フランス革命研究家であったベルンシュタインのコレクション、四万数千点。創設は昭和五二年で、同文庫目録がある。

洗足学園大学附属図書館

沿革

大正一五年、東京に洗足高等女学校を創設。昭和四二年、大学を開設した。また、平成六年、横浜市の港北ニュータウンに新キャンパスがオープンした。図書館の建物は地下一階、地上五階建てで、図書館は地下一階と一・二階にある。蔵書冊数は平成一二年三月末現在で、約一二万冊である。

前田ホールというコンサートホールをもつ音楽大学であるところから、音楽関係書や楽譜、CD、LD、ビデオ等の収集に力をいれている。また、コレクションとしては音楽学部長であった門馬直美氏の「門馬レコード」（昭和六〇年創設、一万四四九六点）がある。

図書館の利用については、館長の許可があった場合のみに限られている。

㊟〒213−8580　川崎市高津区久本二−三−一
㊐〇四四−八五六−二九七六
Ⓕ〇四四−八五六−二九七四
㊧東急田園都市線溝の口駅またはJR南部線武蔵溝の口駅より徒歩六分。
㊎午前九時〜午後六時（月〜金曜日）、午前九時〜午後一二時三〇分（土曜日）。
㊡日曜日。

明治大学生田図書館

同大学のキャンパスは東京にある駿河台、和泉と川崎にある生田と三つある。このうち、生田キャンパスには理工学部、農学部がある。

蔵書冊数は平成一二年三月末日現在で三四万〇六九一冊である。

同図書館は農学部の生田地区への移転にともない、昭和五一年、農学部図書室として開室したのを発祥とし、その後、工学部の移転により、四五年に生田分館（現在生田図書館）となった。以上の経過により蔵書内容は自然科学および工学系統が中心となっている。

一般の利用については、本学関係者または他の大学図書館の紹介が必要である。

㊟〒214−0033 川崎市多摩区東三田一−一−一
㊟〇四四−九三四−七九四五
㊟〇四四−九三四−七九〇五
㊟http://www.lib.meiji.ac.jp/index.html
㊟小田急線生田駅より徒歩一二分。
㊟午前八時三〇分〜午後七時（月〜土曜日）。
㊟日曜日。

大磯町立図書館

沿革

大磯町は、江戸時代、東海道の宿場町として栄え、明治に入ってからは日本最初の海水浴場が開設されたことから保養地としても発展してきた町である。古くは、明治の宰相伊藤博文が別荘を建て、戦後は吉田茂が別荘を置いたことから「影の国政地」などと呼ばれることもあった。相模湾に面し、穏やかな気候風土の故か、文化人も多く移り住んでいる。大磯町立図書館は、戦後間もない一九四八（昭和二三）年九月に、町役場二階の一室を使って開館した。その後一九五四（昭和二九）年六月には、木造モルタル二階建ての独立館が建てられ、サービスを始めている。戦後すぐのころから図書館設置の機運が町内におこり、県内の町の中では、かなり早くから活発に図書館活動が展開されてきた。

現在の図書館は、一九八三（昭和五八）年八月に新築開館している。大磯駅から徒歩で二〜三分と地の利の良さは申し分ない。切妻風の屋根の特徴ある外観が周辺の家並みによく溶けこんで暖かな雰囲気を醸し出している。設計が公開コンペで決定されたことが、良い結果をもたらした例である。昭和五八年度神奈川県建築コンクール優秀賞、昭和六二年日本図書館協会図書館建築賞を受賞している。

地上二階地下一階、延床面積一八六五平方メートルの規模。蔵書冊数は、約一八万冊余、うち四万五〇〇〇冊が公開書架にある。一階が児童と一般の公開書架、二階は「まちの資

㊟〒255—0003
中郡大磯町九九二
㊟〇四六三—六一—三〇〇二
Ⓕ〇四六三—六一—七九一三
㊡ＪＲ東海道線大磯駅より徒歩三分。
㊔午前一〇時〜午後七時（火〜金）、午前一〇時〜午後五時（土・日）。
㊡月曜、毎月初めの日、祝日、年末年始、特別整理期間。

料室」とネーミングされ、レファレンスブックと郷土資料及び特別コレクションが配架されている。また、町民の文化活動の発表の場としても使用されている「まちのギャラリー」と名づけた展示コーナーや、集会室もある。

町西部の国府地区に分館が設置され、サービスが、町内ほぼ全域に行き渡っていることも特筆される。利用状況からいっても神奈川県内の町の図書館をリードしている図書館のひとつであることは衆目の一致するところである。

コレクション――

町民に利用されることを考えて幅広く資料を収集してきているが、大磯らしい特別コレクションとして次の二つがある。

吉田文庫　一九四六（昭和二一）年から五度にわたって内閣を組織した元首相吉田茂の旧蔵書のうち没後、大磯町立図書館に寄贈されたもの。吉田茂は一八七八（明治一一）年東京生まれ。少年時代を淘綾郡西小磯村（現大磯町）で過ごしている。東京帝国大学卒業後、外交官を経て戦後、政治家となった。第三次内閣の一九五一（昭和二六）年、サンフランシスコ講和条約の主席全権を務めるなど戦後日本政治のキーパーソンとして存在した。大磯町の別荘に長らく親しみ、一九六五（昭和四〇）年には町から名誉町民の称号を贈られている。一九六七年（昭和四二）没。国葬が執り行われた。

文庫は、一九六九年創設。昭和三〇年代に出版された、政治・社会評論や文芸書等点数一八八八冊。文芸書は、その交流の故か著者の署名入りが多い。その他吉田茂自身が学んだものと思われる漢籍・洋書（未整理）が含まれている。「吉田文庫目録」（手書き冊子）がある。一部は、二階の「まちの資料室」に配架され、自由に閲覧できる。

坂西文庫　女性の社会評論家坂西志保（一八九六〜一九七六）の収集資料が、没後寄贈されたもの。

坂西は、米国ホイートン大学卒業。ミシガン大学大学院で美学、哲学を学ぶ。米国議会図書館日本部部長を務めたあと、戦後は、参議院外務専門調査員等を歴任。社会評論家として国際理解、文化交流の視点から多くの執筆、翻訳活動を行なった。戦後一九四八（昭和二三）年から一九七六（昭和五一）年に亡くなるまで大磯町で暮らした。

文庫は、一九七六年創設。洋書未整理分四三〇冊を含めて、文学書から一般書まで総点数五八六八冊を数える。各分野にわたる蔵書は氏の旺盛な読書意欲を示すものとして興味深い。自身の著訳書が二〇冊ほど含まれているが、与謝野晶子著「みだれ髪」の坂西訳「Tangled Hair」（一九三五　マーシャル・ジョーンズ社刊）などが貴重。一部は、他のコレクション同様、二階の「まちの資料室」に配架され自由に閲覧できる。

大岡文庫　戦後文学を代表する作家のひとりである大岡昇平（一九〇九〜八八）の没後、夫人から寄贈された氏の蔵書四〇〇冊余のコレクション。

大岡昇平は、一九六九年六〇歳で東京へ戻るまでの足掛け一六年を大磯町の東町一丁目で過した。その縁により蔵書の一部の寄贈を受けたもの。大岡自身の著作物のほか推理小説も多く含まれている。二階の「まちの資料室」に一部が配架され、自由に閲覧ができる。

海洋科学技術センター情報室

Ⓘ〒237―0061
　横須賀市夏島町二―一五
㊞〇四六八―六六―三八一一
Ⓕ〇四六八―六六―二二一九
Ⓗhttp://www.jamstec.go.jp/
㊄京浜急行追浜駅からバス一〇分。
㊇午前九時三〇分〜午後四時三〇分（月曜〜金曜日）。
㊡土・日曜日、祝祭日、年末年始。

沿革――――――

同センターは、昭和四六年一〇月一日、海洋科学技術センター法（昭和四六年五月一八日、法律第六三号）に基づき、科学技術庁の特別認可法人として、海洋の総合的開発・利用の推進に寄与するために設立された。横須賀市夏島町の臨海部にあり、土地面積約六万四〇〇〇平方メートルの広大な敷地には、一八の建物があり、また、有人潜水調査船「しんかい六五〇〇」の支援母船「よこすか」などの接岸施設がある。

その目指すところは次の三つである。

一、深海底の探査　深海底には海が生成した時からの記録が残されており、その解明は今後の地球環境の変動を予測する上で重要であることから、同センターではその保有する深海底探査システムを駆使して調査研究を進めている。すなわち、有人潜水調査船「しんかい六五〇〇」及び支援母船「よこすか」、有人潜水調査船「しんかい二〇〇〇」及び支援母船「なつしま」、海洋調査船「かいよう」、無人探査機「ドルフィン―三K」また、一九九五年にマリアナ海溝の世界最深部・チャレンジャー海淵の一万九一一メートルに到達した一万メートル級無人探査機「かいこう」、平成一二年六月から試験運航を始めた自律型無人巡航探査機「うらしま」などの調査船や探査機を中心に、地震や海底地形の研究、また、海底深部地層のサンプリングシステムや深海底の探査システムの研究を行っている。

二、海洋観測の技術　広域的で立体的な同時観測システムの確立が望まれているが、このための方法として、（ア）マイクロ波の利用（水、雲、雨、水蒸気、雪、氷などの色々な水の移動をマイクロ波を利用して観測する。将来的には航空機や人工衛星により、地球規模の観測が可能となる）（イ）海洋レーダー（海水中へレーダー光を照射して植物プランクトンの濃度を把握する）（ウ）海洋音響トモグラフィー（音波をつかって海の様子を一瞬のうちに知ることができる装置で、これにより、立体的な海洋の観測が可能となる）（エ）大型海洋観測研究船（太平洋での広域にわたる観測や海象・気象条件の厳しい高緯度流域の観測が可能となる。平成一〇年度には新たに原子力船「むつ」を改造した「みらい」が加わった。）　以上の四事業が推進されている。

三、海域の開発利用　沿岸海域の開発利用のために、波エネルギー等を積極的に利用することにより、海洋汚染対策にも役立つ研究を進めている。

機構・施設

組織は理事会、評議員会の下に、会長、理事長、理事以下七部（総務、企画、深海研究、深海開発技術、海洋観測研究、海域開発・利用研究、運航）、三室（情報、協力団体連絡、数理解析技術）及びむつ事務所により構成されている。

「情報室」は、海洋科学技術に関する資料を収集し、センターの研究開発活動等を支援するとともに、我が国における海洋科学技術情報の専門センターとしての役割を担っている。

活動方針としては、一、研究開発活動等に必要な情報の収集・管理・提供　二、研究成果の普及　三、海洋科学技術情報の国内外への発信　四、海洋科学技術等に関する国内外の動向調査　五、海洋科学技術等に関する相談、の五点があげられる。同室は平成八年二月に新設された情報・電源棟（本館の左斜め後方）の二階に移転し、四月一日から業務を再開した。

同室の広さは五六三・五二平方メートルで、受付ホール、図書・雑誌の開架室、書庫、検索AVコーナー、ブラウジングコーナー、学習室、事務室、機器室等に区画されている。蔵書は平成一二年三月末で、図書一万二八八一冊（書架には和洋書混配）、雑誌七四三種、他に研究機関・大学等のパンフレットがある。所蔵情報はデータベース化されており、端末から検索できる。また、貸出は一般の利用者もでき、三冊、一週間で、コピーも可能である。出版物としては、季刊として「JAMSTEC深海研究」「海洋科学技術センター年報」「Annual Report」「Pablication List」「海洋科学技術センター業績集」、隔年刊として「海洋科学技術センター試験研究報告抄録集」「JAMSTEC深海研究抄録集」がある。また、調査・情報サービスとしては、センター内外へのサービスを積極的に行っている。

神奈川県農業総合研究所文献資料室

沿革

神奈川県農業総合研究所は、神奈川県の農業関係の試験研究機関再編整備によって、農業総合研究所、園芸試験場、蚕業センターが統合されて一九九五（平成七）年四月、新たにスタートした機関である。旧農業総合研究所は、一八九六（明治二九）年創立の神奈川県農事試験場をその前身に持ち、長年にわたって県内の農業技術の発展に貢献してきた。平塚市寺田縄にあった旧研究所から同じ平塚市内ではあるが、金目川をわたった上吉沢の地に移転し、施設も格段に立派になった。広々とした研究用の園地・圃場を持ち、品種改良、バイオテクノロジー等の分野で着実な研究成果をあげている。

平塚駅、秦野駅からバスで約三〇分はかかる。少し不便だが、その分周辺の環境は申し分ない。のどかな風景が広がる大磯丘陵の一角である。

文献資料室は、建物の五階。企画調整部というセクションが事務を担当している。もともとは、所内研究者のための資料室であるが、現在は、だれでも利用できる公開施設となっている。室面積二三〇平方メートル、閲覧スペースの奥に集密書架を有し、図書約一万冊余り、雑誌約三〇〇〇種を所蔵している。

蔵書

資料は、当然のことながら農業関係がほとんどである。外国語図書も一〇〇〇冊ほど所

㊟〒259―1204
平塚市上吉沢一六一七
㊕〇四六三―五八―〇三三三
Ⓕ〇四六三―五八―四二五四
Ⓗhttp://www.agri.pref.kanagawa.jp/
㊋JR平塚駅からバス神奈川大学行又は、秦野駅行で吉浜下車。
㊐午前九時三〇分～午後五時。
㊡土、日、祝日。
㊒無料・所内利用のみ。
㊔不可。

蔵されている。特筆すべき資料として、戦前の朝鮮総督府や台湾、旧満洲にあった農事試験場の研究報告類がある。まとまって保存されており、日本の植民地経営を農業の一面から見ることのできる貴重な資料といえる。

このほか、各都道府県の農業試験場・研究所の研究報告は、資料交換を行っているのでほとんど揃っている。また、農業関係の専門雑誌は、外国語雑誌も含めて多数ある。

だれでも自由に利用できる資料室だが、求める資料の所蔵の有無を問い合わせてから足を運んだ方が良い。なおインターネットホームページに「神奈川県農政関係試験研究機関図書情報検索システム」が公開されており、農業総合研究所だけでなく、県立の他の研究機関である水産総合研究所、畜産研究所、森林研究所の所蔵資料を検索できるようになっている。

神奈川県立かながわ女性センター図書館

沿革

神奈川県立かながわ女性センターは景勝の地江ノ島の島内にあり、東京オリンピックのヨット競技会場となったヨットハーバーに隣接している。女性の自立と社会参加を進めるための拠点として昭和五七年一一月に開館したこの施設の開館当初の名称は、神奈川県立婦人総合センターであった。

施設内にある「かながわ女性センター図書館」は埼玉県にある国立婦人教育会館婦人教育情報センターにつぐ規模をもつ全国有数の女性問題専門図書館である。広さは約五〇〇平方メートル、八万点収容の電動書庫があり、蔵書は約九万点、閲覧席は五〇席である。

戦前からの婦人論、日本や世界の女性史、女性の伝記資料、結婚離婚問題、女子教育史資料、育児、女流文学といった幅広く充実した収蔵資料のうちでも特に目を引くのは婦人労働に関するコレクションである。これらの資料は「労働省婦人少年局資料」として一括されており、戦後の労働省婦人少年局設置以来の婦人少年局の編集、発行による資料が各種統計、調査報告書、啓発広報パンフレット、リーフレット、ポスターにいたるまで、ほぼ網羅的に集められており、その収集は現在も続いている。

これらのコレクションは、労働省婦人少年局（現在の婦人局）のOBを中心とした「婦人関係等資料収集委員会」の尽力により収集されたものであり、戦争直後からの労働組合

㊟〒251―0036
藤沢市江の島一―一一―一
㊁〇四六六―二七―一一一一
Ⓕ〇四六六―二五―六四九九
Ⓗhttp://www.pref.kanagawa.jp/osirase/02/0050/toshokan/
㊇小田急線片瀬江の島駅より徒歩一五分。
㊎午前九時～午後五時。
㊡月曜日、祝日、月末、年末年始。整理期間。
㊕無料。
㊣可。

の組合当事者のメモといった原資料まで、貴重な資料が多数ふくまれている一級のコレクションである。

コレクション――――

特筆すべきものとして「山川菊栄文庫」がある。山川菊栄（一八九〇～一九八〇）は東京生まれ。戦前戦後を通じて女性解放運動の理論的指導者として活躍した。昭和二二年労働省婦人少年局発足時には初代局長となった。和書約一四〇〇冊、洋書約五〇〇冊、その他からなるコレクションである。「山川菊栄文庫目録稿」が刊行されている。

「国鉄労働組合婦人部資料」は国鉄労働組合婦人部二代目部長丸沢美千代より寄贈された戦後激動期のわが国の労働運動、特に婦人労働問題を克明に知ることの出来る、原資料を中心としたコレクションである。

「女性問題の新聞切抜き」は全国紙、地方紙六二紙、英字新聞五紙からなる情報データベースである。「女性問題」、「女性労働」、「生活問題」、「社会福祉」、「教育問題」、「人物情報」、「書評情報」、「海外情報」の八項目に分類されており各分野の最新情報までが集積されている。

「家庭雑誌」、「新女界」、「青鞜」といった女性のおかれた立場を同時代の資料から知ることの出来る雑誌の復刻版はほぼ網羅的に収集されている。

内外の女性労働事情についての論文や図書の解説等を掲載する「女性労働と資料」、新刊図書や新収資料を解説する「資料情報」を隔月刊で刊行している。

神奈川県立教育センター

㊟〒251―0871
藤沢市善行七―一―一
㊐〇四六六―八一―〇一八五
Ⓕ〇四六六―八三―四六六〇
Ⓗhttp://www.edu-ctr.pref.kanagawa.jp/
㊛小田急線善行駅徒歩八分。
㊢午前九時～午後四時三〇分。
㊡土曜、日曜、祝日、年末年始、特別整理期間。

沿革

神奈川県立教育センターは、教育関係職員の研修や教育に関する調査研究を行う機関として、県立教育研究所の機能を発展させるかたちで、一九六四（昭和三九）年、藤沢市善行に設置されている開所は、一九六五（昭和四〇）年一月。

図書室は、二階の一角にあり、教育に関する図書、雑誌、教科書、教育に関する資料が巾広く収集されている。

蔵書

所蔵資料は、三万四〇〇〇冊余り。学校の年史、研究報告紀要等県内学校の刊行物や全国の教育研究機関の研究報告紀要類は、充実している。特に研究紀要類は、毎年一五〇〇冊以上を受入れ、現在約六万冊を所蔵している。その利用のため、一九九〇年以降受入れの資料を論文単位でデータベース化し、インターネットでの検索が可能となっている。

教科書は、県内で採択されている現行のものを通覧できるようになっているほか、寄贈されたものによって、外国の教科書、戦前戦中の教科書の一部も見ることができる。

戦後発行のものは約一万九〇〇〇冊。校種別、教科別、発行年順に整理されている。

戦前・戦中のものは、修身、国語を中心に約六五〇冊を所蔵している。

所蔵資料については、「教育情報データベース」が構築されており、研究紀要、教育雑誌、教育図書、ビデオ教材をインターネットから検索することができる。

コレクション――

センター所蔵のユニークなコレクションとして、カニ類研究の大家で教育センターの顧問も務めた酒井恒（元横浜国立大学教授、一九八六年没）が収集した「日本産カニ類原図」がある。酒井教授が著した図鑑「日本産蟹類」等の原図となったものである。内訳は、原色図七三一点、点描図二二四点、写真二九九点。精密に描かれ、かつ美しい彩色が施されており、学術的にも美術的にも価値の高い貴重な資料である。一部は、センター内のコーナーに展示されている。

神奈川県立第二教育センター

沿革

神奈川県立第二教育センターは、医療、福祉等の関連機関との連携のもとに、障害児教育の充実を図っていくための研究や研修を行う目的で一九八二（昭和五七）年四月に開設された機関である。

小田急江ノ島線の六会日大前駅から徒歩で一三分、県立藤沢養護学校に隣接して建てられている。障害児教育の総合的支援センターとしての役割を果たしていくための研究、研修、教育相談、進路相談等の事業を展開している。

図書資料室は、南棟二階にあり、その運営は、センターの「情報収集・提供事業」の一環として位置づけられている。

蔵書

所蔵資料は、図書が約一万三〇〇〇冊余り。そのうち障害児教育関係だけで約四〇〇〇冊にのぼる。その他は、心理学、教育学、医学等の関連分野の図書が大部分を占める。雑誌は、購入タイトル約六〇のうち、障害児教育一六、障害児（者）医療一二、障害児（者）の生活・福祉一六と専門分野のものが七割以上となっている。また、研究報告類の蓄積も三五〇〇冊余りとかなりの数になっている。このほか、関連分野のビデオテープや一六ミリフィルムもあわせて三〇〇本ちかく収集、所蔵されている。

㊟〒252―0813
藤沢市亀井野二五四七―四
㊇〇四六六―八一―八五二一
Ⓕ〇四六六―八一―九四六七
Ⓗhttp://www.edu-ctr.pref.kanagawa.jp/daini/
㊇小田急線六会日大前駅より徒歩一三分。
㊐午前九時〜午後四時三〇分。
㊡土、日曜日、祝日。
㊓特に無し。

図書資料室は、だれでも自由に利用できる。図書については貸出しもしてくれる。貸出しできない資料については、コピーサービスが受けられる。ビデオテープについては、資料室内のＡＶコーナーで視聴できるようになっている。一六ミリフィルムとビデオテープの一部については貸出しをしている。

障害児教育に関する情報提供は、所内に蓄積しているものにとどまらず、県立教育センターや国立特殊教育総合研究所、国立教育研究所等のデータベースと結んで必要な情報を検索することができるようになっている。電話やファクシミリ等での問い合わせにも応えている。

神奈川歯科大学図書館

沿革――――

明治四三年、大久保潜竜により東京神田に東京女子歯科医学校として設立された。大正一一年、東京女子歯科医学専門学校となり、昭和九年、日本女子歯科医学専門学校と改称した。戦後の二四年、同校を改組して日本女子歯科厚生学校を設立、二七年、日本女子衛生短期大学、三九年、神奈川歯科大学となった。三笠公園手前にある。

建物は三階建てで、蔵書数は約一三万二〇〇〇冊（平成一二年三月末現在）であり、その内容は歯科医師養成のための大学であるところから、医学・歯学の専門書が中心となっている。

㊟〒238―8580
横須賀市稲岡町八二
㊫〇四六八―二二―九三六一
Ⓕ〇四六八―二五―一八九二
Ⓗhttp://www.kdcnet.ac.jp/toshokan/library.htm
㊇京浜急行横須賀中央駅より徒歩一〇分。
㊐午前九時～午後七時（月～金曜日）。
㊡土・日曜日、祝日。

鎌倉市中央図書館

沿革

明治四四年七月に設立された県内で最も古い公共図書館である。鎌倉市役所のすぐ近くにあり、御成小学校に隣接している。地上三階、地下一階建てで、蔵書は本館、分館あわせて約四五万冊、職員は三〇名である。平成七年より電算化をし、二階の参考図書・郷土資料室の入口にはブック・ディテクションが据え付けられている。また、木曜日、金曜日のみ夜七時まで開館している（他の日は五時まで）。

所蔵資料

資料の特色としては、鎌倉幕府創設以来の鎌倉の歴史を生かすため、鎌倉を中心とした郷土資料を重点的に収集し、鎌倉古地図・鎌倉勝景図・『狭衣物語』などのコレクションや縁切寺で知られる東慶寺関係文書（小丸俊雄氏旧蔵文書）や鎌倉関係の古写真を収蔵している。刊行物としては、「かまくら図書館だより」「こども図書館だより」が定期的に刊行され、不定期刊行物として『鎌倉近代史資料集』がある。

昭和五二年に開設した近代史資料室では幕末から明治・大正・昭和にわたる鎌倉市近代史資料の調査・収集にあたっている。

また、本館以外に地区館が三館ある。深沢図書館（湘南モノレール湘南深沢駅から徒歩三分）が昭和五五年に、大船図書館（ＪＲ大船駅から徒歩七分）が昭和五七年に、玉縄図

㊟〒248―0012
鎌倉市御成町二〇―三五
㊫〇四六七―二五―二六一一
Ⓕ〇四六七―二四―六五四四
Ⓗhttp://www.city.kamakura.kanagawa.jp/library/index.htm
㊕ＪＲ横須賀線鎌倉駅より徒歩五分。
㊺午前九時～午後五時（火・水・土・日曜日、祝日）、午前九時～午後七時（木・金曜日）。
㊡月曜日、毎月月末、年末年始、特別整理期間。

書館（JR大船駅から徒歩一三分）が昭和六二年に、腰越図書館（江ノ電腰越駅から徒歩一二分）が平成一一年に設立されている。また、平成七年の電算化により市内各館がオンラインで結ばれることとなり、各館の蔵書は約五万〜九万冊である。インターネットで所蔵資料の検索が可能となっている。

鎌倉文学館

沿革

緑濃い山を背に由比ケ浜の海を眼下に建つ鎌倉文学館はかつては加賀一〇〇万石の藩主であった前田侯爵家の別邸であり、現在も当時の佇まいを色濃く残している。前田侯爵家が初めてこの場所に別邸を建てたのは明治二三年のことで、その時の名は「聴涛山荘」。その後何度かの改修を経て関東大震災後に「長楽山荘」の名が付けられた。そして昭和一一年渡辺英治の設計により洋風に全面改築されたのが現在の建物である。戦後はデンマーク公使が別荘に使用、昭和三九年からは元首相佐藤栄作が亡くなるまで週末の静養に使用した。またここは三島由紀夫の『豊穣の海』第一部「春の雪」に登場する「終南別業」のモデルになったことでも知られている。前田家の一七代当主利為の長女酒井美意子氏の著書『ある華族の昭和史』の中にはここでの生活の回想がある。ちなみに東京駒場にある「日本近代文学館」は前田家の旧本宅である。長楽山荘は昭和五八年に鎌倉市に寄贈され、鎌倉文学館の開館は昭和六〇年一〇月のことであった。初代の館長は永井龍男である。閑静な雰囲気のなか広い芝生とバラの生け垣に囲まれたこの建物は文学館としてはまさにぴったりの環境にあるといえる。木造三階建のうち一、二階部分が鎌倉文学館として一般に公開されている。

鎌倉文士という言葉があるほど、東京の田端、馬込などとともに古都鎌倉には多くの文

㊟〒248−0016
鎌倉市長谷一丁目五−三
㊢〇四六七−二三−三九一一
Ⓕ〇四六七−二三−五九五二
㊛JR横須賀線鎌倉駅より江ノ電で由比ヶ浜駅下車。
㊡月曜、年末年始。展示替え期間。
㊎午前九時〜午後四時。
㊇有料。
㊋可。

学者が集い住み文士村を形成した。また鎌倉は文学の舞台としても数多くの作品に登場している。

鎌倉文学館では二つの特別展示室（年に一度特別企画展を開催）と四つの常設展示室で鎌倉にちなんだ文学、文芸を概観することができる。

「鎌倉文士たち」は古き佳き鎌倉文士の時代をテーマとした展示室である。鎌倉に住み活躍した文学者たちには大佛次郎、川端康成、久米正雄、小島政二郎、小林秀雄、里見弴、高見順、永井龍男、中村光夫、中山義秀、吉屋信子など多数がいる。とくに久米正雄（一八九一〜一九五二）は町議会議員としても活躍している。この展示室ではこれら綺羅星のごとき文学史上の巨星たちを著書、草稿、生前愛用した品々などで偲ぶことができる。

「明治・大正文学と文学者」展示室では明治大正期の日本文壇の人々の中から鎌倉ゆかりの大家たち芥川龍之介、有島武郎、佐佐木信綱、高浜虚子、夏目漱石、与謝野晶子らを鎌倉との関わりを通して紹介している。

鎌倉はまた歴史上はかつて幕府の置かれた地であり、その時代の武家政治の中心であり、また当時、文化の中心のひとつでもあった。「古典文学と鎌倉」展示室では万葉集の昔から鎌倉幕府の置かれた中世の軍記物『平家物語』や『金槐和歌集』などの歌集、さらに名所見物、参詣の行楽地として近世の多くの紀行文にも登場している古き鎌倉の文学散歩を楽しめる。

「昭和文学と文学者」展示室では比較的新しい、大正から昭和にかけての文学者たちを紹介している。交通の便が良くなり東京との距離が短くなってくると、ますます多くの人たちが鎌倉に移り住んできて鎌倉在住の文学者も増えてきた。鎌倉に在住した昭和期の文学者には円地文子、久保田万太郎、澁澤龍彦、立原正秋、星野立子、吉井勇、吉野秀雄ら枚挙に暇がないほどである。昭和一一年には鎌倉ペンクラブも結成され、戦後の窮亡期にはこれら文学者たちが蔵書を持ち寄った貸本屋「鎌倉文庫」が鶴岡八幡宮の前の通りに開店して好評を得るなどした。

所蔵資料――

鎌倉文学館では約六万点のコレクションを別棟の鉄筋二階建の収蔵庫に保管しており、その内の約五万点の図書等冊子資料は一階のレファレンス・ルームでだれでも閲覧することができる。静かなレファレンス・ルームには座席七席とカード目録が整備されている。隣接した文学館事務所に申し込みをすればすぐに資料の出納を受けられる。

また鎌倉文学館には作家里見弴（一八八八～一九八三）の書簡類をはじめとした約一八〇〇点、映画監督小津安二郎（一九〇三～六三）の写真、書簡を中心とした約九〇〇点の二つのコレクションも寄託されている。ほかに隣接した旧邸宅が記念館となっている作家吉屋信子（一八九六～一九七三）の旧蔵書約六〇〇〇点も鎌倉文学館が管理している。これは吉屋信子の「得たものは社会に還元し、住居は記念館に」という遺志により鎌倉市に寄贈されたものがさらに鎌倉文学館に移管されたものである。コレクション目録はレファレンス・ルームで見ることができる。なお吉屋信子の遺品、原稿類は現在も吉屋信子記念館が保管しており、毎年期間を限って公開されている。

鎌倉文学館ならではのコレクションとして「鎌倉文庫コレクション」がある。秋木光男、土屋定夫、矢沢友幸の三氏からなる鎌倉文庫探偵団より寄託を受けている約六〇〇点で前述の貸本屋「鎌倉文庫」が終戦後出版社に発展してからの刊行物を中心に収集しておりすでに九割以上が収集済み、久米正雄旧蔵の鎌倉文庫ポスターや鎌倉文庫会社規約など貴重な内部資料もふくまれている。

慶応義塾大学湘南藤沢メディアセンター

㊟〒252―0816
藤沢市遠藤五三二二
㊫〇四六六―四七―五一一一
Ⓕ〇四六六―四九―一一三五
㊋JR東海道線辻堂駅からバス二五分、小田急線江ノ島湘南台駅からバス一五分。
Ⓗwww.sfc.keio.ac.jp/mc html
㊐午前九時一五分～午後一一時（火～金曜日）、午前九時一五分～午後七時（土曜日）。
㊡月曜、祝日、本学記念日（一月一〇日、四月二三日）、その他。
㊕事前連絡不要（藤沢市民のみ）。

沿革・現況――――

本大学は安政五年（一八五八）、福沢諭吉によって蘭学塾として開設されたのを起源とする。慶応四年（一八六八）、慶応義塾と改称、明治三一年、学制改革により幼稚舎から大学までの一貫教育制度を発足させた。大正九年、慶応義塾大学となり、以後、学部の増設、藤原工大の合併などを経て、昭和二四年、新制大学となった。

本部および三田キャンパスと信濃町キャンパスは東京にあるが、他の三つのキャンパスは神奈川県内にある。日吉キャンパス（経済・法・商・理工・医学部の一・二年次、文学部の一年次）と矢上キャンパス（理工学部三・四年次）は東急東横線日吉駅東口の駅前にある。日吉キャンパスは徒歩一分、矢上キャンパスはやや奥まったところにあり、徒歩一五分である。

同センターの蔵書数は約二六万冊、全体では三六〇万冊以上になる。

また、図書館の名称についても、従来、本や雑誌など紙による情報（情報センター、図書館）とコンピュータの利用やデータベースのような情報（コンピュータセンター）が分けて考えられてきたが、それらを一元化してサービスする方向をとることがより適切であるという考え方から、総合的な名称としては、メディアセンターという名称を使うこととしている。

すなわち、日吉キャンパスには日吉メディアセンターがあり、その中に藤山記念日吉図書館（学部の教養課程の学制を対象として、学習図書館としての蔵書を有する）や日吉研究室蔵書（文学中心）などが含まれている。

また、矢上キャンパスには理工学メディアセンターがある。蔵書は理工学の専門資料で、学術雑誌や図書、この中には、日本科学技術情報センター（JICST）からの移管雑誌、ロシア語の雑誌、抄録誌・索引誌などが含まれている。コレクションとしては、「山中散生コレクション」をもつが、詩人で日本のシュールレアリズム運動の推進者として知られる山中散生氏（一九〇五〜七七）の旧蔵書である（二七一点）。

湘南藤沢キャンパスには湘南藤沢メディアセンターがある。そして、このキャンパスにはコンピュータのネットワーク・システムが形成され、三〇〇〇におよぶ端末機用のコンセントにより、キャンパス内ではどこでもコンピュータが使えるようになっている。

一般の利用については、日吉メディアセンターでは、レファレンスは可能であるが来館は原則として認めていない。また、理工学メディアセンターについてはレファレンスは可能であるが来館は理工学の研究者に限られ、湘南藤沢メディアセンターでは藤沢市民に限られている。

水道記念館図書資料室

〒253-0106
高座郡寒川町宮山四〇〇一
寒川浄水場いこいの広場内
☎〇四六七-七四-三一七八
Ⓕ〇四六七-七五-一九九二
㊋JR相模線寒川駅徒歩一〇分。
㊍午前九時三〇分～午後四時。
㊡月曜、祝日の翌日。
㊇無料。

沿革――――

県営水道創設五〇周年を記念して、旧寒川浄水場跡地が「いこいの広場」として整備された。水道記念館は、その一角にある旧ポンプ所の建物を使って、水道事業の重要性を理解してもらう目的で、神奈川県企業庁水道局によって昭和五九年三月に設置された。㈶神奈川県企業庁サービス協会が運営にあたっている。所在地は、JR相模線の寒川駅または宮山駅から歩いて一〇分のところ。相模国一宮の寒川神社もほど近い。

記念館の建物は、なかなか趣のある二階建の赤レンガ造り。館内の展示は、水と人間との関わりを歴史的にたどる「水のめぐみ」のコーナー、生活を支える水がどのように作られ供給されているのかを知る「水を知る」コーナー、くらしの中で水との関わりを考える「水とくらし」のコーナーにわかれ、パネルやジオラマを使ってわかりやすいものになっている。小学生の社会科見学が多いそうだ。

所蔵資料――――

図書資料室は二階の一角にある。「水のミニ情報センター」として、平成元年に開設された。水の有効利用、河川の水質浄化、水道事業等に対する理解を深めてもらうことを目的として資料が収集され、利用に供されている。収集されているのは、水の利用や河川に関する分野である。環境問題、河川工学等の資料が多い。収集はこのところほとんど寄贈に頼っているとのことだが、各地域の水道事業史・誌はかなり充実している。雑誌は、水道協会雑誌など専門分野のものが保存されている。蔵書数約四〇〇〇冊ほど。貸出し、コピーサービスも行っている。

逗子市立図書館

沿革

逗子市立図書館の歴史については、一九九九（平成一一）年一月に刊行された「逗子市立図書館50年史」に詳しい。これは、市民の手によって編集され、図書館から刊行されたいわば、市民と図書館の合作によるユニークな年史である。一読をおすすめする。

現在の建物は、一九六六（昭和四一）年に建てられたものである。その後、館内の公開書架スペースの拡充や隣接する社会教育会館を分室として使用できるようにするなど様々な施設改善の工夫を行いながら現在に至っている。県内に次々と誕生した新しい図書館に比べると、施設的には十分とはいえない状態にあることはしかたがないところである。しかし、一九九四（平成六）年のコンピュータ導入をきっかけにして、一層活発な図書館サービスが展開されるようになり、利用も大幅に増えてきている。絵本や紙芝居の表紙を見ることのできる使いやすい利用者用検索端末も注目を集めている。蔵書冊数は約一八万冊ほどである。

二階の一室が独立した郷土資料室である。市域の面積規模がそう大きくないということもあって、資料収集にあたって地域に密着した姿勢を重要視している。例えば、全国的にもその動向が注目を集めた池子の米軍住宅建設反対に関わる市民運動や市政の動きについての資料がかなり細かいものまで収集されている。

㊟〒249―0006
逗子市逗子四―二―一〇
㊡〇四六八―七一―五九九八
Ⓕ〇四六八―七三―四二九一
㊂JR逗子駅徒歩五分、京急新逗子駅徒歩三分。
㊑午前九時～午後五時。
㊍月曜日、第四金曜日。

コレクション

特別コレクションとして、「藤原楚水文庫」がある。一九八五年創設。逗子に住んだ中国書道史の泰斗藤原楚水の著編著、監修書のコレクションである。藤原楚水は、一八八〇（明治一三）年大分県生まれ。長く逗子に住み、中国書道史研究に多大な業績を残した。『中国書道史』（三省堂、一九六〇）等の書道史関係の著作や『書道六体大字典』（三省堂、一九六一）等楚水の編になる字典類、などが収蔵されている。楚水は、一九九〇年に九九歳で没したが、収集は、継続しており、現在一五〇点近いコレクションとなっている。カード目録が編成されている。閲覧可。

さらに、「服部フミ文書」がある。これは、憲政の神様と言われ、我が国憲政の確立に貢献した政治家尾崎行雄の身近で長く家政を預かった服部フミ宛ての手紙や原稿等の文書資料を写真複製版にしたものである。尾崎行雄の別荘「風雲閣」が市内披露山にあって、服部フミはそこに居住していた。そのことが縁となり、フミの養嗣子服部行丸氏より寄贈されたという経緯を持つ。尾崎の日常をかいま見ることのできる家屋の普請に関する書類等も含まれていて、尾崎行雄研究には貴重な資料となっている。一九八七年創設。写真複製版三四点。閲覧可。

もうひとつ、市内新宿披露山で元禄年間から代々名主であった高橋家に伝わる文書のコレクション「高橋家文書」がある。高橋磐氏から図書館が寄託を受けている。一九六六年創設。総点数一四五三点、『披露・高橋家古文書目録』が一九九二年に作成されている。

江戸時代全般にわたる年貢割付目録等の貢祖、検地関係の文書、幕末の沿岸警備関係の文書、明治に入ってからの土地改革や税法改正に関する文書類などかなり幅広い分野にわたるものが多数残されている。閲覧の際は、事前に予約することが必要。

茅ヶ崎市立図書館

沿革

茅ヶ崎市は、湘南海岸に面した明るいイメージの町。市立図書館は、一九四九（昭和二四）年の創設。その後一九五五（昭和三〇）年に木造平屋建ながら独立の施設となり、一九八三（昭和五八）年に新築されて、延床面積三一五七平方メートルの規模を有する現在の図書館となった。コンピュータの導入、香川分館の設置等サービスを着実に進展させて市民に親しまれる存在となっている。現在蔵書冊数は、約四二万冊。

コレクション

コレクションとして特筆されるものに「**斎藤昌三文庫**」がある。斎藤昌三は、書物研究家。一九〇五（明治三八年）生まれ。関東大震災後の一九二四（大正一三）年から茅ヶ崎市に長く暮らし、執筆活動を続けた。とりわけ、一九三一（昭和六）年に編纂した「現代日本文学大年表」（改造社）は、近代文学研究の基礎を作ったとして文学研究者から高い評価を受けている。また、蔵書票の研究でも著名である。

一九五九（昭和三四）年から一九六一（昭和三六）年に亡くなるまで、市立図書館名誉館長を務めている。コレクションは、生前本人から寄贈された自身の著作を中心としたもの。「紙魚繁昌記」（一九三二、書物展望社）等の戦前の著作から雑誌「書物展望」復刻版全一八巻（一九八四、臨川書店）、自筆原稿、書簡も含まれている。創設は、一九八七年、

㊟二五三―〇〇五三
茅ヶ崎市東海岸北一―四―五五
㊫〇四六七―八七―一〇〇一
Ⓕ〇四六七―八五―八二七五
㊮ＪＲ東海道線茅ヶ崎駅徒歩五分。
㊐午前九時～午後五時（火～日曜）、午前九時～午後七時三〇分（金曜日）。
㊡月曜、祝日、第三木曜。

点数一二〇点。「斎藤昌三生誕一〇〇年記念展著作目録」がある。

もうひとつのコレクションとして「**牧野英一文庫**」がある。牧野英一（一八七三〜一九七〇）は刑法学者。一九五〇（昭二五）年文化勲章受賞。茅ヶ崎市の名誉市民となった。コレクションは、氏の法律学関係の著作を中心にしたもの。著作によって氏の業績をたどることができる。コレクションの中に、タイプ印刷による冊子「改正憲法に対する修正試案」がある。これは、一九四六年貴族院議員として、日本国憲法審議会に参加したときのもので、各条の注記に新憲法に対する自身の考え方が示されており、憲法成立事情の一端を伝える貴重な文献である。創設は、一九九二年。点数九五点。事務用に作成された牧野英一文庫目録がある。

鶴岡文庫

沿革

当文庫は鶴岡八幡宮により八幡宮創建八〇〇年を記念し、昭和六二年秋に設立された。八幡宮背後の北鎌倉寄りにある。

設立の趣旨は、民族性及び鎌倉や八幡宮について考え、また、学ぶ場として、研究者や関心あるものに広く提供しようとするものである。その事業としては、以下のとおりである。

事業

（一）古文庫、史料、図書等の整理、保存　（二）鶴岡八幡宮、鎌倉に関する史料の収集　（三）神社及び神道に関する資料の収集　（四）収集図書、収蔵史料等の閲覧利用　（五）鎌倉の歴史・文化、日本文化及び古典に関する講座の開設、講演会・展示会の開催　（六）紀要及び鶴岡文庫だよりの発行

施設

建物は和風二階建て（延べ床面積五五〇平方メートル）で、一階は閲覧室、講堂、事務室等、二階は閲覧室、研究室、白井文庫、また、書庫は三層で収容能力一〇万冊となっている。収蔵資料は二万五〇〇〇冊、学術雑誌は数千冊にのぼり、事務処理の電子化（パソコン、ワープロ、光ディスク）、重要史料のデータベース化が進められている。

㊟248―0005
鎌倉市雪ノ下二―一七―二
〇
㊍〇四六七―二三―九一四四
Ⓕ〇四六七―二三―九一四四
㊜ＪＲ横須賀線鎌倉駅から徒歩一五分。
㊡午前九時～午後五時（但し、入館は四時三〇分まで、火曜日～日曜日、祝日）。
㊡月曜日、年末年始。
㊡無料。

このうち、国の重要文化財（属本は社務所で保管）で鎌倉幕府の滅亡直後の歴史を知る上で貴重な「鶴岡社務記録」や源頼朝、足利尊氏などの寄進状を含む「鶴岡八幡宮古文書」などは逐次光ディスクに記録され、データベース化が図られ、原本とほぼ同じ画像で検索、複写ができるようになっている。

東海大学附属図書館

㊟〒259―1292
平塚市北金目一一一七
㉁〇四六三―五八―一二一一
Ⓕ〇四六三―五〇―二〇五九
Ⓗhttp://www.time.u-tokai.ac.jp/
㊋小田急線東海大学前駅下車徒歩一五分。
㊐午前九時～午後七時（月～土曜日）。
㊡日曜日、祝日。

沿革――――

昭和一七年、学園を開設し、一八年、航空科学専門学校、一九年、電波科学専門学校を創設し、二一年、統合して旧制の東海大学となり、二五年、新制大学となった。本部は東京（渋谷区）の代々木校舎にあるが、静岡県に清水・沼津校舎、本県には湘南及び伊勢原校舎がある。湘南校舎には、文・政経・法・教養・体育・理・工学部及び医学部の一部があり、殆んどの学部が集中している。また、伊勢原校舎には医学部と健康科学部がある。伊勢原校舎は小田急線伊勢原駅からバス一〇分である。

図書館は湘南校舎に中央図書館と一一号館・一二号館・一三号館分館、他の四校舎及びヨーロッパ学術センター（デンマーク）に分館がある。蔵書数は一一八万冊（平成一二年三月末現在）で、各館はオンラインで結ばれている。

中央図書館の利用については、湘南校舎が平塚と秦野に境を接しているところから、両市立図書館と地域協定が結ばれており、両市民は利用できることとなっている。

コレクション――――

足利惇氏文庫　インド・イラン学の第一人者であり、本学学長であった足利惇氏の旧蔵書である。一二〇〇余点。

北尾コレクション　古銭、古文書等の収集家北尾義一（一九二〇～）の収集した古書簡集で、足利義輝、新井白石、滝沢馬琴、木戸孝允、西郷隆盛のものなど、二六一点。

田辺コレクション 音楽評論家で本学教養学部教授であった田辺秀雄（一九一三〜）のクラシックLP・SPレコード及びテープのコレクションで、約四五〇〇点。

桃国文庫 国文学者で東京大学教授であった池田亀鑑（一八九六〜一九六五）の旧蔵書で、平安朝文学、特に「源氏物語」を主として貴重な文献が多い。六一七六点。

古田コレクション 作曲家、音楽評論家で本学教授であった古田徳郎の戦後のクラシックのLPレコードを中心とするコレクションで、約一〇〇〇点。

牧田コレクション 元本学医学部教授でジャズ評論家の牧田清志のジャズレコードのコレクションで、約五七〇〇点。

松前篠原文庫 本学創設者松前重義と創設の際の協力者で本大学名誉教授であった篠原登（一九〇四〜八四）の記念文庫で約三〇〇〇点。

村治文庫 東京教育大学教授でギリシャ哲学者であった村治能就の旧蔵書（洋書）で、二三四八冊。

一般の利用については、事前に照会して予約する。

徳富蘇峰記念館

沿革

徳富蘇峰は、明治、大正、昭和を通じて言論界の重鎮として活躍し、『近世日本国民史』(全百巻)の修史を著したスケールの大きな人物として知られている。

一八六三(文久三)年熊本生まれ、名は猪一郎。弟の蘆花は文学者である。一五才で同志社に入り、新島襄の影響を受け、一八八二(明治一五)年熊本に大江義塾を開いている。上京して、一八八七(明治二〇)年には民友社をおこし、政治・経済・外交から文学批評も掲載する総合雑誌「国民之友」を創刊した。一八九〇年「国民新聞」を発刊し、以来四〇年間社長兼主筆として大いに筆を振るった。一九一一(明治四四)年には貴族院議員となるなど政界と関わったが、その後、政界とは一定の距離を置き、言論人の立場を貫いた。大著『近世日本国民史』は、一九一八(大正七)年五六歳の時に着手、一九五二(昭和二七)年九〇才の時に全百巻を完成させている。

この間、敗戦後は、A級戦犯容疑者に指名され、一九五二(昭和二七)年に解除されるまで公職追放の扱いを受けた。一九五七(昭和三二)年九五歳で没。

徳富蘇峰記念館は、蘇峰の業績を後世に伝える目的で、一九六九(昭和四四)年、蘇峰の秘書を永年にわたって務めた塩崎彦市が、私財を投じて、二宮町の私邸内に建設したものである。塩崎氏が蘇峰から贈与を受けたものと氏自ら収集していたものを合わせて保存

㊟〒259―0123
中郡二宮町二宮六〇五
㊢〇四六三―七一―〇二六六
㊋JR東海道線二宮駅より徒歩一〇分。
㊌午前一〇時―午後四時。
㊡日・火・木・土曜日、年末年始一週間、八月第三、四週(毎週 月・水・金曜日を開館)。
㊝有料。

し公開することによって蘇峰の遺業と精神とが新しい時代の人々に研究され、理解され、普及されることを念願したという。

昭和五三年、塩崎が亡くなった後は、遺族が遺志を継承、徳富蘇峰記念塩崎財団を設立し、記念館を博物館として運営し、引き続いて遺品、資料の保存公開を行っている。

二宮駅から歩いて一〇分程の静かな一角に記念館はある。地元の人々からは「蘇峰堂」と呼ばれて親しまれ、敷地内の梅林は、季節には、観梅で賑わう。

建物は、鉄筋三階建で、面積二八五平方メートルとこぢんまりした規模だが、蘇峰ゆかりの資料がぎっしりつまっている。一階が、図書・遺品・原稿の展示室、二階は、毎年テーマを定めて行う特別展示のための部屋となっている。三階は、収蔵庫・研究室である。

所蔵資料

蘇峰揮毫の書画・手稿、著書・蔵書、書簡、遺品類、美術品と多岐にわたり、総数は約一〇万点にのぼる。

［揮毫・手稿］

手稿は、明治一五年若かりし蘇峰が熊本に開いた大江義塾時代のノートブックから晩年のものにまで及ぶ。自ら揮毫した書画も多数ある。戦後、戦犯容疑者とされ、失意の一時期に描いた「達磨画」五百点余は、その時期の蘇峰の心情を読み取ることのできる資料ともなっている。

［著書・蔵書］

蘇峰の蔵書の大部分は、生前にお茶の水図書館（東京・千代田）へ寄贈されており、ここに残っているのは、手元に置いて執筆の際の資料として使用していたものが中心である。それでもその数一万冊ほどになる。

コレクション――

以下のような貴重なコレクションも所蔵されている。

明治二二年二月一日付の「官報号外」の実物。これは、「大日本国憲法」が掲載されているものである。東京の憲政記念館にも所蔵されているが、ここの方が保存状態が良いそうである。常設展示されている。

明治初年前後当時の新聞のコレクション。蘇峰が収集していたもので、原紙を所蔵、展示している。次のようなタイトルの新聞である。「日々新聞」・「遠近《おちこち》新聞」・「内外新報」・「中外新聞」・「横浜新報もしお草」・「市政日誌」―以上慶應四年、「バタヒヤ新聞」―文久二年、「新聞雑誌」（山県篤蔵主筆）―明治四年、「江湖新聞」（福地桜痴）、「新聞事実」（第一〇号）―明治八年。

「著書」は、『近世日本国民史』百巻をはじめ、約三〇〇冊が所蔵されている。民友社が発行した雑誌「国民の友」は、九〇％ほどを見ることができる。「国民叢書」も大部分見ることができる。

「遺品類」　印鑑、筆、眼鏡など、蘇峰が身の回りで使用していたものが多数所蔵されている。

［美術品］　蘇峰と交流のあった著名な画家・陶芸家の作品が所蔵されている。川端龍子の描いた晩年の蘇峰像「米寿の蘇峰翁」、平福百穂「牛」など。ほかに、堅山南風、浜田庄司等の作品がある。

［書簡］　記念館所蔵の資料で、最もボリュームを占めており、かつ貴重な資料群ともいえるものである。内容は、明治・大正・昭和に亘る政治家、軍人、文化人、学者など多方面に及ぶ人々が蘇峰あてに寄せた書簡で、総数は、一万二〇〇〇余人からの約四万六〇〇〇通にものぼっている。

この資料群を、差出人名、社名別に目録化した「徳富蘇峰宛書簡目録」が編集刊行されている。（一九九五年三月刊・徳富蘇峰記念塩崎財団編集・徳富蘇峰記念館発行）大変な労作である。

目録を見ていくと、明治期では、勝海舟との交流から山県有朋、大隈重信ら政治家との関係が見てとれる。さらに中江兆民、坪内逍遥、与謝野晶子、森鷗外など文化人・文学者からのものも多い。時代が下っても書簡を寄せた人々の多様さは変わらず、平塚雷鳥、高群逸枝、吉屋信子などの名も見える。蘇峰の交流の幅広さに驚かされる。

著名人ではない市井の人々からのものまでも残されており、すべてが蘇峰宛であるということで、蘇峰を通して時代を写す資料ともなっているといえる。

刊行物――――

この目録は、一冊一万円（学生八〇〇〇円）で頒布している。希望の向きは、直接記念館へ問い合わせを。

なお、これら書簡の研究の成果が、記念館の学芸員高野《こうの》静子氏の手によって『蘇峰とその時代―よせられた書簡から』（中央公論社、一九八八年刊）にまとめられている。以上、多数の貴重な資料は、常設展示されているほか、毎年テーマを設定した特別展示によって目にすることができる。また研究目的での利用は、定められた閲覧規定に基づいて行うことができるようになっている。

開館日等は、別記のとおりだが、二月の観梅の時期は毎日開館するとのことである。また、事前の申し出があれば開館日以外での利用も相談に応じてくれるそうである。目的をもった利用の場合は事前に連絡をするとよい。

日本大学生物資源科学部湘南図書館

沿革――――――

以前は農獣医学部（東京・世田谷区）であったが、平成八年度に生物資源科学部（動物・海洋生物・植物・森林資源科学科など一一学科）が新設された。校舎は東京・世田谷と藤沢にある。

また、図書館も両校舎にあるが、湘南図書館の蔵書冊数は約一九万冊（平成一一年三月末現在）である。

所蔵資料――――――

蔵書内容については学科内容に即して自然科学を中心に科学技術、産業系統に重点がおかれている。

コレクションとしては、「イギリス農業史コレクション」（一七〇〇年から一八一五年までに刊行されたイギリス農書の大部分を含む。七〇〇冊、創設は平成元年）がある。

一般の利用については、藤沢市内の公共大学図書館との相互提携から市民の利用は可能である。

㊟〒252―8510
藤沢市亀井町一八六六
㊕〇四六六―八四―三八五一
Ⓕ〇四六六―八四―三八五五
Ⓗhttp://www.tosho.brs.nihon-u.ac.jp/
㊋小田急江ノ島線六会駅より徒歩二分。
㊊午前九時～午後九時（月～金曜日）、午前九時～午後六時（土曜日）。
㊡日曜日、祝日。

葉山町立図書館

沿革

葉山町は、三浦半島にただひとつ残った町である。葉山御用邸があり、海を臨む湘南の保養地として作家や画家などが移り住んだこともあって、静かで文化的な雰囲気が漂っている。葉山町立図書館は、一九八一（昭和五六）年四月一日に開館、五月一日から貸出業務を始めている。それまで図書館らしい施設が何もなかっただけに町民からは大歓迎された。

鉄筋コンクリート二階建ての白亜の建物は、延床面積二〇三四平方メートルと町立図書館としては、なかなかの施設規模を有し、葉山の雰囲気にもよくマッチしている。

蔵書資料

蔵書冊数は、約十四万冊。うち三万冊が公開書架に並べられている。購入雑誌は一三二タイトル。いずれも町立図書館として、高い水準にある。葉山を特徴づける資料として次のような三つの柱をたてていることが特筆される。

① 海に関係する資料　海と自然、海と生活、海と生物、海の乗り物などの切り口で資料を収集する。これらは公開書架の「マリンコーナー」に集められている。

② 皇室に関する資料　御用邸を擁する土地柄を生かして、様々な視点から書かれた皇室についての資料を収集する。

㊟〒240―0112 三浦郡葉山町堀内一八七四
㊫〇四六八―七五―〇〇八八
Ⓕ〇四六八―七六―一八六四
㊋京浜急行新逗子駅よりバス向原下車。
㊎午前九時～午後六時。
㊡月曜、第二木曜、祝日の翌日、年末年始、特別整理期間。

③　堀口大学文庫と日本の詩歌についての資料　葉山に暮らした詩人堀口大学の寄贈資料を核とした堀口大学文庫をさらに充実するため、関連資料の収集に努める。

コレクション――――

このうち堀口大学文庫は、特別コレクションとして位置づけられている。概要は次の通り。

堀口大学文庫　堀口大学は、一八九二（明治二五）年東京生まれ。日本の近代詩史上に独自の地位を築いた詩人。多くのフランス近代詩文の翻訳も行なった。一九五〇年から葉山町に居住し、一九七九年には文化勲章を受賞している。一九八一年没。名誉町民となった。

文庫は、図書館が開館した一九八一年創設。堀口大学の著書と手稿などからなり、寄贈書のほか図書館独自の収集によるものも含まれる。処女詩集『月光とピエロ』（籾山書店刊、一九一九）など著作の初版本を中心に、「PANTHEON」（二八～二九、全一〇冊）など昭和初期の詩誌、原稿、書簡等を網羅している。点数八九二点。

平塚市中央図書館

沿革

平塚市は、相模川西岸の相模平野にひらけた人口約二五万人を有する湘南地域の中核的な都市である。江戸時代から東海道の宿場町あるいは相模川を利用した交通の中心地として栄えてきた。近代に入ってからは、農産物の集積地として発展、また、海軍火薬廠が置かれ、工業立地も盛んに行われるようになった。一九三二（昭和七）年県内では四番めの市制をしいている。戦後は、さらに工場が多数進出、商工業都市として重要な存在になっている。夏の七夕まつりがよく知られている。サッカー湘南ベルマーレのホームタウンでもある。

平塚市の図書館の歴史をさかのぼると、戦前にいくつかの前身といえるものを見い出せる。一九二四（大正一三）年平塚町教育振興会が設立した児童文庫、さらに一九二八（昭和三）年平塚町青年団が平塚小学校内に設置した平塚町青年団図書室があり、一九四〇（昭和一五）年には、平塚市が紀元二六〇〇年記念事業として平塚市民図書館を市立第一小学校内に設置している。ただこの平塚市民図書館は、図書購入費を全く計上せず、寄贈のみによって運営するという方針をとったということで、記録に残されるような活動はなかったようである。戦後、一九四八（昭和二三）年四月、旧海軍火薬廠研究部に平塚市図書館が設置される。これが現在に続く図書館のスタートである。その後一九五八（昭和三

㊟〒254―0041
平塚市浅間町一二―四一
㊔〇四六三―三一―〇四一五
Ⓕ〇四六三―三一―九九八四
㊫ＪＲ東海道線平塚駅徒歩一五分。
㊍午前九時～午後五時、午前九時～午後七時（金曜日）。
㊡月曜日、毎月月末、年末年始。

四）年には、花水小学校分校あとの建物に移転、活動を展開するが、新図書館建設の機運が高まり、一九六六（昭和四一）年には図書館建設計画が決定され、一九七〇（昭和四五）年四月、平塚駅から徒歩で一五分ほどの市内浅間町に現在の中央図書館が開館した。広い市域にサービスを行き渡らせることを目的にして、移動図書館車あおぞら号の運行（一九八二）、北図書館の開館（一九九一）、西図書館の開館（一九九三）、南図書館の開館（一九九六）と着実にサービスを充実させている。

市内にある東海大学付属図書館との連携を進めて市民が東海大学付属図書館を利用できるようにしているほか、旧中郡三市二町（平塚市、秦野市、伊勢原市、大磯町、二宮町）の図書館の広域利用を可能にする協定の締結と利用の拡大につながる相互協力に積極的に取り組んでいる。

蔵書・資料

現在、蔵書は、中央図書館に約三四万冊、北図書館に約一〇万冊、西図書館に約一三万冊、南図書館に約一〇万冊と市図書館全体で約六七万冊を所蔵している。雑誌は、中央図書館約三〇〇誌、北図書館、西図書館、南図書館それぞれ約一五〇誌が受入れられている。視聴覚資料にも力が入れられており、全館でCD約一万八〇〇〇点、ビデオテープ約一万八〇〇〇点が所蔵され、貸出利用も活発に行われている。

コレクション

中央図書館の三階が参考室となっている。レファレンスブックが置かれ、資料についての相談もここで受けてくれる。参考室には、郷土資料約九〇〇〇冊、行政資料が約二〇〇〇冊所蔵され、利用できる。また、次のような寄付金をもとにした集書があり、寄付者の名を冠したコレクションとしている。

岩田文庫　一九七〇（昭和四五）年と一九七九（昭和五四）年の二回にわたって、市内にある株式会社長崎屋の会長故岩田長八氏の遺志により、夫人である岩田イキ氏からの寄付金によって収集した資料群。一九七〇年の寄付金では、当時新館建設にあたって充実する必要のあった洋書・和書の基本図書や新聞のマイクロフィルムを収集、一九七九年の寄付金では、調査研究用図書を収集した。図書一九〇三点、マイクロフィルム七八四巻から成る。参考室の他の資料とともに配架されている。「岩田文庫目録」（一九七二）「岩田文庫目録第二集」がある。

志澤文庫　一九七五（昭和五〇）年、小田原に本拠のある百貨店、株式会社志澤の平塚店の開店にあたっての寄付金によって収集した資料群。調査研究用の図書一三〇点。参考室に他の資料とともに配架されている。「志澤文庫目録」（一九七六）がある。

藤巻文庫　競輪選手藤巻清志氏から送られた寄付金に基づいて、図書館が選定した図書資料群。一九七九（昭和五四）年創設。主として社会福祉関係の図書三五六点。参考室に他の資料とともに配架されている。「藤巻文庫目録」（一九七九）がある。

水島チサ文庫　一九八〇（昭和五五）年、市内在住の水島チサ氏の遺志により、同氏の孫たちから児童書購入の費用にと送られた寄付金で収集した資料群。『復刻世界の絵本オズボーンコレクション』全三四点（ほるぷ出版、一九七九）、『名著復刻日本児童文学館』第一集全三二巻、第二集全三三巻（ほるぷ出版、一九八〇）など三六六冊。こども室で見ることができる。「水島チサ文庫目録」（一九八〇）がある。

白須文庫　一九八四（昭和五九）年、市内に開業する医師白須義雄氏からの寄付金によって収集した資料群。医学、薬学、看護学、公衆衛生等医学関係分野の図書六八冊。参考室に他の資料とともに配架されている。「白須文庫目録」（一九八五）がある。

このほか、蔵書の寄贈を受けて開設した次の二つのコレクションがある。

鹿島孝二文庫　小説家鹿島孝二の旧蔵書が遺族から寄贈されたもの。鹿島孝二は、一九〇五（明治三八）年千葉県生まれ。早稲田大学高等師範部卒。東京の下町で育ち、戦後平塚市に移り住んだ。ユーモア小説作家として活躍し、「長谷川伸の会・新鷹会」の中心メンバーでもあった。代表作に日本作家クラブ賞を受け、ライフワークとなった「湘南滑稽譚」がある。一九八三年、平塚市功労者として表彰された。一九八六（昭和五六）年没。コレクションの内容は、和書、洋書、雑誌など総数二五七八点。戦前、戦後の大衆文学が広く収められている。自身の著作も一三四点が含まれている。「鹿島孝二文庫目録」（一九九一）がある。コレクションとしては完結しているが、平塚市図書館として、鹿島孝二に関する資料を継続して収集することに努めている。

柿澤篤太郎山岳図書コレクション　一九九五（平成七）年三月、元平塚市長で横浜山岳会会員であった柿澤篤太郎氏の収集した山岳関係図書の寄贈を受けて開設したもの。

藤沢市総合市民図書館・藤沢市湘南大庭市民図書館

沿革

藤沢市の図書館の創設は、一九四八（昭和二三）年に遡るが、図書館としての活動が目立ったものとなってくるのは、一九六三（昭和三八）年、現在の南市民図書館の場所に中央図書館が新築開館した頃からである。自動車図書館の巡回、各地域の市民センター内への市民図書室の設置等、市内全域へのサービスに重点を置いた活動を活発に展開した。

一九八六（昭和六一）年、市北部の湘南台に新しい中央図書館である総合市民図書館が開館する。その開館は、県内のみならず全国的にも大きな注目を集めるものだった。延床面積四六九八平方メートルという規模もさることながら、一〇万冊の開架図書、ビデオやレーザーディスクといったAV資料の充実ぶり、ヤングアダルトコーナーなど新しい魅力を持った図書館として様々なメディアでも取り上げられた。開館直後から爆発的な利用があり、現在総合市民図書館だけで年間約一二〇万冊を越える資料が貸し出されるようになっている。

また、開館に先立って、資料をどういう考え方のもとに集めるかという収集方針の案を公開し、市民から広く意見を求めるという試みを行うなどその図書館運営は先進的な事例のひとつとして評価が高く、新しい図書館を始めるときの参考にと視察者がいまだにあとを立たないという。

総合市民図書館
㊟〒252―0804
藤沢市湘南台七―一八―二
㊫〇四六六―四三―一一一一
Ⓕ〇四六六―四六―一一三〇
Ⓗhttp://www.lib.city.fujisawa.kanagawa.jp/
㊋小田急線湘南台駅徒歩一〇分。
㊐午前九時～午後五時（水～日曜日、祝日）、午前九時～午後七時（火・金曜日）。
㊡月曜、月末、年末年始。

湘南大庭市民図書館
㊟〒251―0861
藤沢市大庭五四〇六―四
㊫〇四六六―八六―一六六六
Ⓕ〇四六六―八六―一四四一
㊋JR辻堂駅からバス大庭小前下車徒歩一分。
㊐午前九時～午後五時（水～日曜日、祝日）、午前九時～午後七時（火・金曜日）。
㊡月曜、月末、年末年始。

総合市民図書館の開館後、南、辻堂の二市民図書館につづいて、平成一二年四月には、湘南大庭市民図書館が開館した。さらに、一一の市民図書室の整備も進め、全体でシステムとして機能する運営が行われている。その結果、藤沢市全体での図書館の利用は、一年間で貸出冊数約三八〇万冊を数えるようにもなっている（二〇〇〇年度）。これは、人口一人当たり一年間に、一〇・五冊利用していることになり、同じ人口規模の自治体の中では全国有数の利用度を示すものとなっている。

一九九一（平成三）年からは、市内に開校した慶應義塾大学湘南キャンパスにある図書館（メディアセンター）と、また九四（平成六）年からは日本大学農獣医学部（現生物資源科学部）図書館との相互協力を始めている。資料の相互貸借や利用の紹介などを実施し、市民、学生双方がそれぞれの図書館の特性を上手に利用し始めている。これも先進的な試みである。

一九九九（平成一一）年七月には、インターネットでの所蔵検索可能となった。二〇〇〇（平成一二）年四月からは、特別コレクションは新設の湘南大庭市民図書館へ移され、利用する際の対応も同館で担当することとなった。

所蔵資料

市全体での所蔵資料は、約一一〇万冊と膨大な量を有しているが、その内総合市民図書館には、約七〇万冊（一九九九年度）が所蔵されている。CD、ビデオ等のAV資料が全館あわせて約八万点と多いことも大きな特徴のひとつである。

また、地域資料が約三万冊あり、そのほとんどは、総合市民図書館一階の調査研究室に配架されている。藤沢の図書館は、総合市民図書館の開館前から伝統的に地域の資料を重視してきている。郷土研究誌として「わが住む里」（年刊）の発行を続けているが、これは、市立図書館創設直後の一九四九（昭和二四）年に創刊されているもので、県内でも長く続いている郷土研究誌のひとつとして、高い評価を得ている。

コレクション――

特別コレクションとして、藤沢市との縁の中から生まれた次のようなものがある。前述のように二〇〇〇年四月からは新設された湘南大庭市民図書館の特別書庫で、閲覧できるようになっている。

マイアミビーチ文庫　藤沢市は、アメリカ合衆国フロリダ州のマイアミビーチ市と姉妹都市となっている。同じ海浜都市でもあり、片瀬海岸を「東洋のマイアミビーチ」との謳い文句でPRしていたこともあって、一九五九（昭和三四）年に姉妹都市の提携をしたものである。

その時、藤沢市から市を紹介する写真や日本の児童向け図書をマイアミビーチ市へ贈った返礼に、マイアミビーチ市の有志から図書が寄贈された。それを特別コレクションとして整理したのが、マイアミビーチ文庫である。内容は、英語で書かれた百科事典「Grolier encyclopedia」（一九六一）やペーパーバックス版の小説、児童書などバラエティーに富んでいる。一冊一冊に寄贈した人のサインが記されているのがユニーク。

一九五九年創設。一九八六年に「マイアミ・ビーチ文庫目録」(仮)が作成されている。点数二一〇余点。

川田順文庫　歌人川田順は、一八八二(明治一五)年東京浅草生まれ。東京帝国大学在学中から文学を愛好し、卒業後は、実業人としても活躍しながら、歌作と古典研究を続けた。「新古今和歌集」の研究に打ちこみ、多数の研究書を著しているほか、宮中歌会始めの選者も務めている。晩年の一九五二(昭和二七)年から市内辻堂に暮らした。一九六六(昭和四一)年没。コレクションは、川田順の所蔵していた書物の一部の寄贈を受けたものである。内容は、自身の歌集『寒林集』(一九四七)、研究書『定本・吉野朝の悲歌』(一九三九)などである。創設は、一九七〇年。点数一六〇点余。「川田順文庫目録」(仮)が一九八六年に作成されている。

片山哲文庫　『大衆詩人―白楽天』(岩波書店、一九六八)といった著作を残すなど文人宰相として知られた片山哲の蔵書や日記、書簡、写真のほか愛用の文具などの遺品の寄贈を受けコレクションとしたものである。片山哲は、一八八七(明治二〇)年和歌山県生まれ。戦後、日本社会党の初代委員長となり、一九四七年内閣総理大臣に就任、初の社会党内閣を組織した。政界引退後も、平和憲法擁護の運動などに積極的に関わり、藤沢市では、最初の名誉市民となった。七八年没。コレクションは七六年創設。なかには、首相としての第一声をラジオ放送した「国民諸君に訴う」の原稿、氏の学生時代の講義ノートといった生の資料もかなり含まれている。和図書がほとんどで点数は、二四〇〇余点。この他に遺品等がある。一九九〇年に「片山哲文庫総合目録」が作成されている。

羽仁五郎文庫　歴史家羽仁五郎の全蔵書等について夫人の説子氏から寄贈を受けたもの。羽仁五郎は、一九〇一（明治三四）年群馬県生まれ。反権力の視点からの歴史研究を進め、時代に鋭く切り込む問題提起を行った。四七年、新しい日本国憲法のもとでの最初の参議院議員選挙で当選、参議院図書館運営委員長として、国立国会図書館の設立に力を尽くした。「国立国会図書館は、真理はわれらを自由にするという確信に立って、憲法の誓約する日本の民主化と世界平和とに寄与することを使命として、ここに設立される」という国立国会図書館法の前文を羽仁が起草している。まさしくこれは、館種を問わず図書館の基本理念をうたっているもので、今日でも常に立ち戻るべき指標として色褪せない輝きを持った言葉として生きている。

ベストセラーとなった『都市の論理』を始め、『日本人民の歴史』等多くの著作があるが、学者の域にとどまらない幅広い活動でその強烈な個性を発揮した。一九八四年没。なくなった所が、藤沢市民病院であったことが縁となって、説子夫人から全蔵書の寄贈が申し出られたという。コレクションは、全体で九一八七冊。その他に、非図書資料が約一〇万点あるという膨大なものである。蔵書であった和書が一七二六、洋書が一一一八冊を数えるが、雑誌が六三四三とかなりのウェイトをしめている。雑誌のなかには、羽仁が三木清らと創刊した「新興科学の旗のもとに」なども含まれている。

特筆されるのは、新聞資料である。明治期の「平民新聞」、昭和初期の「労働農民新聞」

など国内紙約四〇〇、外国紙も七〇紙以上にのぼっているほか、新聞の切り抜きも多数残されている。さらに、一九五二年に出席した世界平和委員会大会資料や自身の講演会の録音テープといった非図書資料まで含まれており、羽仁の全体像が浮かび上がってくるかのようなコレクションとなっている。

創設は、一九八六年。目録として、「羽仁五郎文庫目録（仮）」（一九八六）、『羽仁五郎文庫開設記念展目録』（一九八六）、『羽仁五郎文庫洋書目録』（一九八八）、『羽仁五郎文庫新聞資料目録』（一九八九）、『羽仁五郎文庫関連・新聞雑誌スクラップ記事目録』（一九八九）、『羽仁五郎文庫和洋雑誌総合目録』（一九九〇）、『羽仁五郎文庫新聞スクラップもくろく』（一九九二）、『羽仁五郎文庫パンフレット目録』（一九九二）、『羽仁五郎文庫遺品目録』（一九九二）が作成されている。

石堂清倫文庫　石堂清倫《いしどうきよとも》は、一九〇四（明治三七）年石川県生まれ。在野の社会主義運動史研究者として著名。イタリアの思想家グラムシを紹介したことでも知られる。文庫は、氏が収集した日本における一連の近現代社会科学資料を市民に活用してもらいたいという意志から寄贈されたもの。和書、洋書あわせて一万冊余からなるコレクションである。「石堂清倫文庫目録（仮）第一巻　分類」および「同第二巻　書名」が、二〇〇〇年三月に刊行されている。

江口朴郎文庫　江口朴郎《えぐちぼくろう》は、一九一一（明治四四）年佐賀県生まれ。現代史研究、国際関係論研究の草分け的な存在として、多くの業績がある。一九八九（平成元）年、藤沢市鵠沼の自宅で没。長く暮らした鵠沼の地を「日本のジュネーブのようだ」と親しんでいたことから氏が所蔵していた現代史研究関係資料を没後遺族が寄贈したもの。その内容は、和書、洋書のほか、非図書資料も雑誌、会議資料、パンフレット、手稿など多岐にわたり、総数は九万点以上にのぼる。「江口朴郎文庫目録　和書・洋書」「同　非図書資料」がまとめられている。とくに非図書資料には、七八〇〇点余の和洋雑誌、三七〇〇点余のパンフレット類等が含まれている。

古在由重文庫　古在由重《こざいよししげ》は、一九〇一（明治三四）年、東京生まれ。唯物論的立場から哲学、思想研究に取り組んだ哲学者として著名。戦後、名古屋大学教授を努め、原水爆禁止運動や平和運動にも積極的に関わった。一九九〇（平成二）年没。文庫は、生前に氏が収集した全資料を没後、遺族が一括して寄贈したもの。整理にあたった関係者の言によると、「メモ紙一枚まで分類整理した」ということで、所蔵していた全資料を一堂に把握できるところに大きな価値のあるコレクションとなっている。内容は、和書が約一万三七〇〇余、洋書と雑誌が五七〇〇余のほか、切り抜き、研究ノート、カード、原稿、日記、書簡、写真、愛用品など多岐にわたる資料が多数整理されている。「古在由重文庫目録　和書」、「同　洋書・雑誌」、「同　非図書資料」の三分冊からなる目録が刊行されている。また、所蔵資料のなかにあった講演や座談のテープをおこして冊子とした「古在由重講演・座談記録」も刊行されている。

湘南大庭市民図書館には、これらの特別コレクションのほかに、藤沢市に関係の深い人たちの著作物を集めた「**市民文庫**」のコーナーがある。中里恒子、阿部昭、宮原昭夫といった文学者からいいだもも、宇野弘蔵など社会科学分野の評論家や研究者、また書誌学者森銑三の著作も揃っている。その数約一〇〇〇冊ほど、公開書架の一角に配架され貸出も行っている。

藤沢市文書館

沿革

昭和四九年、元の藤沢登記所のあと地に開館し、五一年、敷地内に書庫を建設した。また、五八年には市役所新庁舎地下二階にも書庫を建設、六〇年に改築を行なった。建物は地上三階、地下一階建てである。

一階は市民資料室（閲覧室）、二階は事務室、三階は展示室・会議室・市史編纂室、地下一階は機械室となっている。書庫は前述のように同館敷地内と市役所新館地下二階の二か所にある。

事業内容

文書館の仕事としては、藤沢市に関する行政資料の保存、古文書等地域記録史料の保存継承、藤沢市の歴史の調査・研究および成果の発表（『藤沢市史』正・続の編纂など）、歴史・行政情報の提供、などがある。

所蔵資料

市民資料室には市政資料や郷土資料が約五〇〇〇冊揃えられ、また、保存史料としては、市内諸家古文書約六万点（ほとんどが寄託による）、マイクロ収集文書約七万点、また、参考図書として全国の市町村市史類約一万冊がある。さらに、コレクションとしては、「金沢甚衛氏収集絵図コレクション」（古文書の収集家金沢甚衛（一八九二〜一九八二）が

㊟〒251―0054
藤沢市朝日町一二―六
㊫〇四六六―二四―〇一七一
Ⓕ〇四六六―二四―〇一七二
㊦JR東海道本線、小田急江ノ島線藤沢駅より徒歩七分。
㊐午前八時三〇分〜午後五時（月〜金曜日）。
㊡土・日曜日、祝日。
㊤無料。

収集した絵地図で、江戸初期から昭和に至るまでのものが地区別に分類されている。昭和六〇年創設で約三〇〇〇点、藤沢市史資料所在目録稿第一八集に目録がある。）、「荒畑寒村文庫」、「高橋俊人文庫」などがある。

刊行物――

刊行物としては、藤沢市史の他、定期的なものとして、「藤沢市史研究」、「史料集」、「藤沢市文書館紀要」、「藤沢山日鑑」などがある。さらに、行事としては、歴史関係の展示会・講演会を年数回開催している。利用については、閲覧・レファレンス・コピーサービスについては随時可能である。

文教大学湘南図書館

沿革

昭和二年開設の立正女子職業学校を前身とする。二八年、短大を開設し、四一年、立正女子大学となった。五一年、現校名に改称し、五二年から男女共学に移行した。キャンパスは越谷（埼玉県）と湘南と二つある。本県にある湘南キャンパスは、平成七年に開設され、情報・国際学部がある。

現況・所蔵資料

図書館は三階建てで、蔵書冊数は約二三万冊（平成一二年三月末現在）。蔵書内容については社会科学系が多い。

利用については、閲覧・レファレンス・コピーについて可能である。また、茅ヶ崎市民の利用については市立図書館に申請し、本学図書館から利用証を発行する形をとっている。さらに、貸出しについては市立図書館を経由して可能である。

㊟〒252―8500
茅ヶ崎市行谷一一〇〇
㊫〇四六七―五三―二一一一
Ⓕ〇四六七―五四―三七一九
Ⓗhttp://www.bunkyo.ac.jp/faculty/lib/
㊛JR東海道本線茅ヶ崎駅、小田急江ノ島線湘南台駅からバス二〇分。
㊐午前九時一五分〜午後六時（月〜金曜日）、午前九時一五分〜午後四時（土曜日）。
㊡日曜日。

防衛大学校図書館

㊟〒239―8686
横須賀市走水一―一〇―二〇
㊡〇四六八―四一―三八一〇
Ⓕ〇四六八―四三―三八一八
㊋京浜急行馬堀海岸駅からバス一〇分。
㊏午前八時三〇分～午後九時（月～木曜日）、午前八時三〇分～午後五時（金曜日）。
㊍土・日曜日、祝日、月末金曜日、年末年始。
㊣事前連絡を要す。

沿革

国立の機関で、四年間の教育訓練ののち、さらに各自防衛の幹部候補生学校で学び、将来、陸・海・空自衛隊の幹部自衛官となるべき者を養成するために、防衛庁の付属部門として設置されたものであり、文部省認可の大学ではない。昭和二七年、保安庁の付属機関として「保安大学校」の名称で発足し、翌年、久里浜の仮校舎に第一期生が入校した。二九年七月、防衛庁発足とともに防衛大学校と改称、翌年、小原台の現在地に移転した。昭和四九年、従来からの理工学専攻に加えて、人文・社会科学専攻を新設した。なお、本校は大学ではないので、卒業生は学士とはならない。

図書館はその設立の趣旨から同校の学生、教官の学習、研究を主体とするものである。

所蔵資料

蔵書冊数は平成一二年三月末日現在で、五四万四二八〇冊である。

また、蔵書内容はその趣旨をふまえて、理工学図書、人文・社会科学図書、国防・軍事関係図書となっている。

コレクション

有馬文庫　兵学研究家で、世界の火砲発達の歴史および日本の蘭学の研究者として知られる元海軍少将有馬成甫（一八八四～一九七二）の旧蔵書で、中国兵書類、朝鮮兵書類、古兵学書類（江戸時代刊本、写本等）に大区分されている。一六二九冊。

遺墨　日本の軍隊の将鑑期以来功労のあった軍人およびその関係者の墨蹟を集めたものである。乃木希典、吉田松陰、勝海舟、山岡鉄舟、西郷隆盛、榎本武揚、伊藤博文等のもので、九〇本（いずれも巻軸類）。

槇記念文庫　昭和二七年、保安大学校の設立に際して校長に就任、防衛大学校に改組後も昭和四〇年まで在任した初代校長槇智雄の旧蔵書で、政治哲学や思想史を中心に巾広い分野にわたっており、その中には明治期の啓蒙書として知られる欧米の原書も多く含まれている。一九二三冊。

フリードリッヒ大王全集　一八四六年から一〇余年を費やしてベルリン王立印刷所で刊行されたもので、三三巻。

クセノフォン全集　紀元前四・五世紀のギリシャの軍人であったクセノフォンの著作である。ギリシャ語・ラテン語対照のもので、羊の皮の装丁で一五五五年に刊行された。全一冊。

一般の利用については、一八才以上を対象として閲覧・貸出・レファレンス・コピー・サービスが可能であるが、事前に来館目的や資料の照会を要する。

升水記念図書館《ますみずきねんとしょかん》

㊟〒254―0811
平塚市八重咲町七―三五
㊫〇四六三―二一―六五九三
㊯JR東海道線平塚駅南口から徒歩三分。
㊎午後〇時～午後五時三〇分。
㊡水・金曜日。
㊇無料。

沿革――

升水達郎氏が一九八八（昭和六三）年に創立した私立の公共図書館。升水氏は、漢方医学の専門家である。子息の龍樹氏が館長を務めている。

平塚駅の南口・西口から歩いて二分ほどのところに図書館はある。鉄筋五階建の建物の一階と二階が図書館になっていて、だれでも利用できる。初めて利用するときに氏名、住所、電話番号を登録すればよい。館外への貸出しも行っている。三冊まで二週間借りることができる。一部に有料で貸出す資料もある。

所蔵資料――

所蔵資料は、公立図書館と同じく総記から文学まで全分野を揃えている。こどもの本のコーナーもある。蔵書冊数は、約六万五〇〇〇冊。うち約三万冊が公開書架にある。

コレクション――

次のようないくつかの特色ある資料群を持っている。

漢方医学書籍　図書館の創立者である升水達郎氏が収集した資料を柱としたもので、漢方医学に関する図書や雑誌が広く集められている。現在総点数四九〇点ほど。引き続いて重点分野として収集が図られることになっている。一般和書のほか、中国で発行された漢方関係の書物も多い。中国のものは、現在整理が進められているところと聞く。「理論漢方医学入門』、「剣持式漢方医学」等、升水氏の自著や発表文献はすべて収蔵されている。二階の閲覧室で手にとって見ることができる。

桑原文庫　若くして亡くなった西洋古典学の研究者で常葉学園大学助教授であった桑原則正（一九四七〜九〇）の旧蔵書の寄贈を遺族から受け、コレクションとしたものである。ギリシア・ラテン文学関係の図書が多い。ギリシア語・ラテン語と英語が対訳になっているThe Loeb Classical Library（Harvard University Press）の約六割が揃っているのを始めとして、ヒポクラテス全集（全三巻）、ディオスコリデスの薬物誌（ともにエンタプライズ刊）、プリニウスの博物誌（全三巻、雄山閣）などがある。総数二六七点。こちらも二階の閲覧室に公開されている。

仏教—とくに禅関係書籍　升水氏の収集した仏教関係の書籍である。とくに別置されているわけではない。ＮＤＣで分類された書架に並べられている。『久松真一著作集』、『鈴木大拙全集』、「佛書解説大辞典」、「禅学大辞典」などである。

図書館は、水曜と金曜が休館日、正午から午後五時三〇分までの開館である。

また、月一回のペースでの古典読書会が開かれているほか、館長が講師となるフランス語講座や中国医学講演会も開催している。

三浦市図書館

沿革

昭和三〇年に三崎町、南下浦町、初声村が合併して市制がしかれ、現在の三浦市が誕生している。遠洋漁業の基地、西瓜や大根の産地、海水浴のメッカ、といった様々な貌を持っているが、近年では首都圏のベッドタウンの様相も強まっている。図書館は、合併前にもそれぞれの町村に設置されていたのだが、合併後、南下浦、初声地区の図書館が分館という位置付けとなり、三崎地区の図書館が本館となった。この体制は、現在も続いており、南下浦、初声の行政センターの建物の中に分館が置かれ、三崎地区の市役所に隣接した旧県立三浦青少年会館の建物が図書館本館として使われている。

コレクション

三浦市図書館は、長年地道な活動を展開してきているが、三浦の地域にふさわしいいくつかのコレクションを持っている。

白秋文庫　北原白秋は、三浦市にとっては、縁の深い詩人である。大正二年三崎漁港に近い向ケ崎に移り住み、数年間を過ごした。三崎の海辺の自然や風土が作品にも大きな影響を与えたと言われている。歌曲「城が島の雨」は、三崎居住期の作品。島村抱月の依頼により芸術座の音楽会のために歌詞を作ったもの。「雨は降る降る城が島の磯に…」と刻んだ歌碑が三崎港と相対した城が島に建てられている。「白秋文庫」は、一九八五年に創

㊟〒238—0235
三浦市城山町六—九
㊫〇四六八—八二—一一一一
Ⓕ〇四六八—八二—二七六六
㊌京浜急行三崎口駅からバス東岡徒歩五分。
㊡月曜、月末、祝日、年末年始。
㊊午前九時〜午後五時。

設され、北原白秋の著書や研究書を継続して収集、現在では二五〇点ほどのコレクションになっている。閲覧可。

四宮海洋文庫　遠洋漁業の基地である三崎港に由来したコレクション。漁業関係に従事していた地元の有力者四宮英雄氏から一九七二年に寄贈された資金をもとに図書館が購入してきたものである。寄贈者の意志と三崎港を有している漁業の町であることを意識して海洋関係の資料を収集し、寄贈者の名を冠した文庫とした。コレクションの中には、「勇魚取絵詞」（小山田与清、天保三）、「鯨史稿」（嘉永三）、「捕鯨図識」（明治二二）等の図入りの捕鯨関係和装本が含まれている。文庫の創設は一九八五年。五九六冊からなるコレクション。閲覧可。

小村三千三音楽文庫　「よい子が住んでるよい町は楽しい楽しい歌の町…」という歌を覚えている人も多いだろう。この歌「歌の町」の作曲者小村三千三《みちぞう》は、三崎の出身。「歌の町」の歌詞と五線譜を刻んだ碑も市内歌舞島に建てられている。コレクションは、その遺族から贈られた資料である。小村は、一八九九（明治三二）年生まれ。東京音楽学校ピアノ科卒業後、宝塚歌劇学校に勤務、その後日本ビクター専属の作曲家となり、童謡など多くの作品を残している。三浦市内の小中学校の校歌も多数作曲している。一九七五年没。コレクションは、一九七五年創設。音楽関係図書と自身の作品が掲載されている図書など四一七冊。閲覧可。

以上の三つのコレクションは、三崎にある三浦市図書館本館で見ることができる。

横須賀市自然・人文博物館

沿革

京浜急行線横須賀中央駅から徒歩約一〇分、眼下に東京湾を望む中央公園内にある三階建ての建物が博物館である。

一九五四年（昭和二九）年、ペリー上陸の地久里浜に開館した博物館は、その後七〇（昭和四五）年に自然博物館を現在地に移転、八三（昭和五八）年には人文博物館部分を増築し、以来三浦半島地域の自然と人の歴史を知ることのできる総合博物館として活動を展開している。

現況

様々な講座や自然観察会の開催などの活発な活動は、先進的な事例としてとりあげられることも多く、市民からの支持を確実に得ている。入館料は無料である。「市民のための博物館」というポリシーを貫いている。

館内の展示は自然と人文に分かれている。自然部門の展示は、三浦半島の地形、地質、生物等を解説したものとなっている。さらに世界でも珍しいといわれる発光生物に関する展示もある。

人文部門は、三浦半島に人が住み始めたという約二万五〇〇〇年前から時代を追って展示されている。江戸時代に三浦半島の交通の中心であった浦賀湊のようすや開国後開設さ

㊟〒238―0016
横須賀市深田台九五
㊂〇四六八―二四―三六八八
Ⓕ〇四六八―二四―三六五八
㊋京浜急行横須賀中央駅より
徒歩一〇分。
㊐午前九時～午後五時。
㊡月曜、毎月月末、年末年始。
㊇無料。

れた横須賀製鉄所の復元模型などが目を引く。

所蔵資料――

所蔵資料は多数あるが、人文資料では、ペリー関係の歴史資料、横須賀製鉄所設計図面資料、国・県指定の重要有形民俗文化財である三浦半島の漁労用具コレクション等が貴重である。

刊行物――

所蔵資料については、「横須賀市博物館資料集」「考古資料図録」等の刊行物で紹介している。このほか、「教育資料シリーズ」と名づけた小冊子を、例えば「横須賀製鉄所」といった個別テーマで刊行しており、わかりやすい解説書となっている。調査・研究活動の成果が掲載される「横須賀市博物館研究報告」も定期的に刊行されている。これら博物館の刊行物は館内受付で入手することができる。

横須賀市立中央図書館

沿革

どうしても軍港のイメージが強い横須賀市であるが、昨今は「国際海の手文化都市」というキャッチフレーズを掲げ、緑豊かな三浦半島の中心都市として発展している。

横須賀の図書館の歴史をさかのぼると、一九二五（大正一四）年に設置された「横須賀市隣保会館図書部」がその前身となる。隣保会館図書部は、夜間閲覧の実施など活発な活動を行ったが、戦時体制の進展に伴いその活動には終止符が打たれた。

戦後の一九四七（昭和二二）年になって、横須賀市図書館が設立され、横須賀の図書館は再出発した。六三（昭和三八）年には、京浜急行線横須賀中央駅から徒歩約一〇分の東京湾を一望する小高い丘（緒明山《おあきやま》）の上の現在地に移転新築、八三（昭和五八）年には大規模な増築改装が行われ、現在に至っている。

七四年には、横須賀中央駅前に児童図書館を設置している。市内の篤志家からの寄付をもとに建設した全国でも数少ない独立施設の公立児童図書館である。児童図書は良く収集され、おはなし会等子どもと本を結びつける活動の普及にも役割を果たしてきた。

八五年には、北部の追浜地区に北部図書館（九七年に北図書館と改称）、南部の久里浜地区に南部図書館（九七年に南図書館と改称）を設置して四館の体制となった。その時から市立中央図書館と改称している。九〇（平成二）年にはコンピュータによる四館のオン

㊟〒238―0017
横須賀市上町一―六一
㊋〇四六八―二二―二二〇二
Ⓕ〇四六八―二三―四二〇〇
㊇京浜急行横須賀中央駅より徒歩一〇分。
㊎午前九時三〇分〜午後五時二〇分（木・金曜日は七時二〇分迄）。
㊡月曜、第四木曜日、年末年始、特別整理期間。

ライン化が実現するなど着実にサービスを進展させてきた。中央図書館約二五万冊、児童図書館約四万冊、北図書館約九万冊、南図書館約一二万冊、と全館合わせて約四六万冊の蔵書（団体貸出用を除く）がある。

現況――

横須賀・三浦地域の郷土資料の収集は伝統的に力を注いでいる。中央図書館の二階には参考・郷土資料室があり、レファレンスブックと並んで、神奈川県内及び横須賀・三浦地域の郷土資料がコーナーを形成している。

コレクション――

全分野にわたって丹念に収集されているが、特に旧海軍関係の資料は充実している。近代以降横須賀が発展する基礎ともなった横須賀製鉄所とそれを引き継いだ横須賀海軍工廠については、「横須賀造船史　第一巻」（横須賀鎮守府編　一八九三）や『横須賀海軍船廠史　第一巻』（横須賀海軍工廠編　一九一五）などその後復刻されることになる資料の原本が所蔵されており、貴重である。復刻版もある。

郷土資料の核となる資料の中には、横須賀市博物館などに勤務し、『横須賀市史』の編纂にも携わった地元の郷土史研究家高橋恭一（一八九八〜一九七七）から寄贈を受けたものが多数あり、「高橋恭一文庫」としている。高橋氏が熱心に取り組んだ浦賀奉行所や港町浦賀についての調査・研究の成果である『浦賀奉行史』（名著出版、一九七四）等の著作と史料が特筆される。総数約九〇〇点。閲覧可。

郷土資料についても、館内の利用者用端末「けんさくくん」で検索することができるが、冊子体の目録として「横須賀市関係資料蔵書目録」（一九八七）があり、二〇三五タイトルが掲載されている。

青山学院大学図書館厚木分館

沿革

明治七年に設立されたアメリカ・メソジスト監督教会派の女子小学校、同一二年に横浜に開学した美会神学校および一一年、東京築地に開設された耕教学舎の三校が源流である。三七年、青山学院および青山女学院として専門学校の認可を受け、昭和二年、両校が合同して青山学院となった。同二四年、新制の青山学院大学となり、二五年、女子短大を開設、二六年、総合学園となった。幼稚園から大学院まで、キリスト教信仰にもとづく教育を実践している。

現況・蔵書

本部は東京・渋谷にある。

図書館は五七年四月開設され、地下一階地上三階建てで蔵書数は平成一二年三月末現在で、約一七万四〇〇〇冊である。蔵書内容としては社会科学、文学関係が多い。利用には館長の承認を必要とする。

(住)〒243−0123 厚木市森の里青山一−一
(電)〇四六−二四八−六二四〇
(F)〇四六−二五〇−二七四八
(H)http://www.agulin.aoyama.ac.jp/
(交)小田急線本厚木駅からバス、大学前下車。
(開)午前九時～午後六時一〇分（月～金曜日、水曜日は午後五時一〇分まで）、午前九時～午後一時一〇分（土曜日）。
(休)日曜日、祝日。

麻布大学附属学術情報センター

沿革

明治二三年、東京麻布区本村町に東京獣医講習所として設立された。その後、相模原市に移転、昭和二五年、麻布獣医科大学となり、五五年、環境保健学部開設とともに現校名に改称された。五九年、獣医学教育六年制発足。

現況・蔵書

ＪＲ横浜線矢部駅から徒歩五分のところにある。建物は三階建てで、蔵書数は平成一二年三月末現在で一四万五四四九冊である。蔵書内容は、本邦最初の獣医学部があるところから獣医学、動物応用科学関係、また、環境保健学部に関する環境科学の分野の資料が主となっている。利用については閲覧、レファレンス、コピーは可能である。

㊟〒229―8501　相模原市淵野辺一―一七―七一
㊔〇四二―七五四―七一一一
Ⓕ〇四二―七七六―三〇五九
Ⓗhttp://tuf.azabu-u.ac.jp/
㊑午前九時～午後八時（月～金曜日）、午前九時～午後四時（土曜日）。
㊡日曜日、祝日、毎月月末午後、図書整理のための休館（春季・夏季）、年末年始、創立記念日（九月一〇日）、その他。
㊢要事前連絡。

厚木市立中央図書館

一九七一（昭和四六）年に蔵書一万七〇〇〇冊で開館した厚木市立図書館は一九八五（昭和六〇）年現在の小田急線本厚木駅前至近の厚木シティプラザ内に移転し、中央図書館として再開館した。今では蔵書も五〇万冊を越え、県内の雄館のひとつとして活発な活動を展開している。一九九九（平成一一）年からはインターネットでの所蔵検索が可能となった。

二階が一般書のフロアー、三階が児童書と視聴覚サービスのフロアーとなっている。一九九七（平成九）年地下一階が「調べもの」のフロアとなった。

コレクション――――

二階にあるのが「**和田傳コレクション**」である。

和田傳（一九〇〇～八五）は厚木市内恩名（当時は愛甲郡南毛利村恩名）に市内の大地主で小学校長や村長を務めた和田又三郎の長男として生まれ、厚木中学卒業後早稲田大学に入学、そこで仏文学者で初期の農民文学者でもあった吉江喬松（孤雁）教授に出会い文学の道に入った。のち第二次「早稲田文学」の編集に従事、数多くの作品を発表、昭和一一年小説集『沃土』で第一回新潮社文芸賞を受賞。一三年農民文学懇話会幹事長、二九年日本農民文学会会長に就任した。昭和六〇年に亡くなるまでずっと厚木市内に在住し旺盛な創作を続けた。

㊟〒243―0018
厚木市中町一―一―三
㊫〇四六―二二三―〇〇三三
Ⓕ〇四六―二二三―三一八三
Ⓗhttp://dbsvr.city.atsugi.kanagawa.jp/frame.asp
㊈小田急小田原線本厚木駅下車。
㊡第三月曜日、第一木曜日、年末年始、特別整理期間。
㊊午前九時三〇分～午後七時（火～金曜日）、土、日、月祝日は午後五時迄。
こども・視聴覚は午前九時三〇分～午後五時（月休）。
㊋可。

コレクションは和田本人から寄贈された資料を中心として、代表作の長編小説『門と倉』など、原稿三六〇〇枚と書簡、図書、雑誌等からなる。

刊行物――

厚木市立図書館叢書の第一冊として『和田傳生涯と文学』、また氏の没後和田家所蔵資料などを同図書館が調査した『和田傳著作目録調査報告書』がある。

海老名市立図書館

沿革

海老名市の図書館の始まりは古く、一九二八（昭和三）年開館の有馬村小学校内の有馬村立図書館にまでさかのぼることができる。一九六七（昭和四二）年からは、国分の中央公民館に併設した図書館で活動を展開してきた。現在の地上郷に新館が開館したのは一九八五（昭和六〇）年であった。一九九五（平成七）年には市立図書館として二館目の有馬図書館が開館した。

海老名市は奈良時代、天平一三年聖武天皇の詔勅により全国に創建された国分寺のうち相模の国分寺が所在していた地とされ、その跡地は大正一〇年に国の史跡に指定されている。

コレクション

海老名市立図書館では新館建築を機に全国の国分寺関連の資料の収集を開始し、平成二年一一月からは参考図書室の一角に特別コレクション「**国分寺関係資料コーナー**」を設置し公開をはじめた。現在すでに三〇〇〇点以上の資料が収集整理されている。

収集に際しては全国の国分寺（僧寺および尼寺）があったとされている市町村、都府県六六か所に調査票を送り情報の収集に努めた。コレクションの中心はやはり相模国分寺関係のもので、近代における相模国分寺研究の嚆矢である明治元年国分村生まれの中山毎吉

㊟〒243―0434
海老名市上郷四七四―四
㊢〇四六―二三一―五一五二
Ⓕ〇四六―二三五―五八八〇
㊮ＪＲ相模線、相模鉄道本線海老名駅下車。
㊡月曜、毎月月末、祝日の翌日、年末年始、整理期間。
㊐火・土・日・祝日は午前九時～午後四時三〇分。水・木・金曜日は午前九時～午後六時五〇分。

の著書や「考古学雑誌」、「建築雑誌」といった雑誌に掲載された論文から新聞記事までが収集されている。また『国分寺の研究』上・下（角田文衛編、考古学研究会、一九三八）、『相模国分寺志』（海老名村刊、一九二四）などといった貴重な資料も含まれている。

刊行物――

その成果は『国分寺関係資料目録』として刊行された。

神奈川県産業技術総合研究所図書室

沿革

神奈川県産業技術総合研究所は、一九四九（昭和二四）年に横浜市金沢区に設置され、以来四〇年にわたって神奈川県の産業技術の進展に力を発揮してきた神奈川県工業試験所が、県立試験研究機関の再編が行われたことによって、家具指導所、工芸指導所等と集約・統合されて、九五（平成七）年四月、新たにオープンした県立の機関である。

小田急線、相模鉄道線、ＪＲ相模線の海老名駅から歩いて約一五分、国道二四六号線沿いの約三万平方メートルの敷地に建てられている。

事業

産業技術総合研究所の事業は、受託研究を行う「研究開発事業」、技術指導や依頼に応じて材料・製品の試験を行う「技術支援事業」、講座等の開催で人材育成を支援する「人材育成事業」と「技術情報・交流事業」の四つの柱で運営されているが、図書室の業務は、このうち、「技術情報・交流事業」の一環という位置づけで行われている。

図書室は、正面の「管理・情報棟」を入ってすぐの螺旋階段をおりた地下一階にある。広々とした室内には、技術分野の図書・雑誌が配架されている。利用資格はとくになく、入館時に閲覧申込書に必要事項を記入すれば所蔵資料は誰でも利用できる。研究調査のために閲覧席が四七席用意されている。なお利用者登録をすれば（要住所確認）三冊まで四

㊟〒243－0435
海老名市下今泉七〇五－一
㊐〇四六二－三六－一五〇〇
内線　二三一〇　二三一一
Ⓕ〇四六二－三六－一五二八
Ⓗhttp://www.kanagawa.iri.go.jp/
㊝小田急、相鉄、ＪＲ相模線
海老名駅より徒歩一五分
㊋午前九時～午後五時
㊡土・日曜日、国民の休祝日、年末年始(12／28－1／4)、資料点検に要する日。
㊕無料

週間図書を借りることもできる。正規の司書職員が二名配置されており、レファレンスにも応じている。

所蔵資料――――――――

所蔵資料は、技術・自然科学分野の図書が約一万二〇〇〇冊。逐次刊行物は、全部で約二七〇〇タイトル所蔵されている。その内購入雑誌約三二〇誌、外国語雑誌も多数ある。このほか、全国の公立試験研究機関の報告書はほとんど揃っている。理工系大学の紀要、企業の技報も多い。規格は、JIS（日本工業規格）全分野、JAS（日本農林規格）を持っている。

特許公報類については、特許庁から「知的所有権センター」として認定されていて、新しく発行される公報の送付を受けている。公開特許・実用新案公報の平成五年以降、公告特許・実用新案公報の平成六年以降は、CD―ROMで発行されているので専用の機器で検索、閲覧、複写ができる。それ以前の冊子体で発行されている公報は、公開特許・実用新案公報が昭和六二年以降、公告特許・実用・新案公報が昭和四五年以降について所蔵している。商標公報、意匠公報も昭和四五年以降の所蔵である。

なお平成一二年一月からは、特許庁と専用回線で結んだ「特許電子図書館情報検索システム」（IPDL）の専用端末機が設置され、特許、実用新案、意匠、商標公報と海外主要公報等の提供サービスが始められた。

最新の情報を求められるライブラリーであるため、商用データベースによる情報検索を行える体制が整っている。特許情報を検索する「ＰＡＴＯＬＩＳ」、科学技術文献を検索する「ＪＯＩＳ」、「ＤＩＡＬＯＧ」、「ＳＴＮ」、国内の新聞掲載情報を検索する「日経テレコン」を現在使用できる。図書室の担当者と相談しながら利用することになる。

さらに、産業技術総合研究所として集積した情報を「ＤＡＴＩＫ」（神奈川県技術情報データベース）と名づけてデータベース化している。これは、県内五〇〇〇事業所の企業情報を集めた「神奈川県企業情報ファイル　」、所内の研究業績を登録した「産業技術総合研究所研究情報ファイル」、図書室の資料を検索できる「産業技術総合研究所図書室ファイル」、所内の設備・機器が登録されている「神奈川県研究設備・機器ファイル」の四つのファイルで構成されている。このデータベースは、所内の端末のほか、インターネットからでも利用できるようになっている。

神奈川工科大学附属図書館

沿革

昭和三八年、幾徳工業高等専門学校として創立され、五〇年に四年制の幾徳工業大学となった。六三年、現校名に改称された。図書館は四階建てである。

所蔵資料

蔵書冊数は平成一二年三月末現在で、一七万六二八七冊である。データ・ベースはJOIS、DIALOGを使用。

学部は工学部の一学部（五学科）であるところから、蔵書内容も理工学系の図書が約半数を占めている。

コレクション

また、コレクションとしては、「**電中研文庫**」がある。昭和二八年、日本発送電株式会社より電力中央研究所に寄贈された戦前戦中を中心とした電力関係図書など約三万七〇〇〇点からなっている。

第一部門　電気事業、石炭、燃料、エネルギー、水、電気技術、土木、建築、機械、理工学

第二部門　総記、経済、経営、産業、風土計画、社会、法律、政治、歴史、地理、文化、統計、年鑑、アジア関係

㊟〒243―0203　厚木市下荻野一〇三〇
㊫〇四六―二四一―六二二一
Ⓕ〇四六―二四二―六一一一
Ⓗhttp://www.lib.kanagawa.it.ac.jp/
㊝小田急線本厚木駅からバス二〇分。
㊞午前九時～午後七時（月～金曜日）、午前九時～午後三時二〇分（土曜日）。
㊡日曜日、祝祭日、創立記念日、夏期・冬期休暇中の一定期間。
㊒不可　但し、館長宛の紹介状があれば、閲覧・コピーは可。
㊯原則として不可。

北里大学教養図書館

沿革

母体は大正三年に設立された北里研究所である。大学は昭和三七年に創立され、わが国細菌学の泰斗北里柴三郎（一八五二〜一九三一）の衣鉢を受つぎ伝染病研究に業績を残すと共に生命科学のほとんど全分野を研究対象としている。

本部・薬学部は東京・港区にあるが、医学・理学・医療衛生・看護学部および教養学部が相模原にあり、他に獣医畜産・水産学部がある。

図書館へは小田急相模大野駅からバスで北里大学前で下車する。建物は地上三階、地下一階建てである。

所蔵資料

蔵書数は平成一二年三月末現在で九万八〇〇〇冊である。

参考図書や自然科学系を中心とした図書の収集に努めており、利用は閲覧、レファレンス、コピーとも可能であるが、貸し出しについては相模原市立図書館発行の紹介状の持参者のみ可能である。

㊟〒228―8555
相模原市北里一―一五―一
㊔〇四二―七七八―九二二三
Ⓕ〇四二―七七八―九二三四
Ⓗhttp://www.kitasato-u.ac.jp/homepage/ulib.html
㊫小田急相模大野駅からバス北里大学前下車。
㊐午前九時〜七時（月〜金曜日）、午前九時〜午後一時（土曜日）。
㊡第二・四土曜日、日曜日、祝祭日、本学記念日、その他。
㊢要事前連絡。

相模女子大学附属図書館

沿革

明治三三年に設立された日本女学校を母体として、同四二年帝国女子専門学校を開設、昭和二四年相模女子大学となる。

新図書館は平成四年一〇月一日開館したが、建物は地上三階建て（一部四階建て）、延床面積五五〇九平方メートルで、学内最大の建物である。

学部は学芸学部の一学部で国文学科、英語・英米文学科、食物学科の三科がある。

所蔵資料

図書収容能力は三三万四〇〇〇冊で、蔵書は二九万冊（他に小田切文庫あり）あり、メインカウンター・利用者端末コーナーで確認ができる。閲覧席はグループ閲覧室（四室）・教員読書室（八室）などを含め三九四席ある。

一階は、参考図書コーナーおよび総記・芸術・語学・文学の和洋図書、雑誌・新聞などを配架している。

二階には、哲学・歴史・社会科学・自然科学・工学・産業の和洋図書、雑誌のバックナンバーがある。小田切文庫を収めた特別資料室、積層書庫には紀要・新聞の縮刷版などを配している。このほかに、和室も閲覧スペースとして利用できるようになっている。

三階には、視聴室、視聴覚ホール（四〇名収容）、マイクロ資料閲覧室、ラウンジ、会

㊟〒228―8533
相模原市文京二―一―一
㊜〇四二―七四二―一四一一
Ⓕ〇四二―七四三―四九一六
Ⓗhttp://isc2.sagami-wu.ac.jp:24010/lib/libindex.html
㊫小田急相模大野駅徒歩一〇分。
㊒午前九時～午後六時三〇分（月～金曜日）、午前一〇時～午後五時（土曜日）。
㊡日曜日、第一火曜日午前、祝祭日、創立記念日、大学祭、体育祭。
㊭事前連絡（電話で確認）。

議室などの施設と資料がある。

コレクション――

小田切文庫　文芸評論家小田切秀雄（一九一六〜二〇〇〇）の蔵書（図書一万七六〇〇冊、雑誌二万四〇〇〇冊他）を昭和六二年秋、大学が購入し、図書館で利用に供することとしたもの。利用の際は予めカウンターに申し込み、二階の特別資料室で閲覧することができる。内容は文学を中心に、哲学、思想、芸術分野にわたっており、概要は『小田切文庫目録』（三冊）により知ることができる。

『相模女子大学所蔵・小田切文庫目録』

同大学附属図書館編集・発行　一、単行本の部（平成三年八月刊行、六二八頁）　分類目録、書名、著者索引あり　二、全集・叢書の部（平成三年三月刊行、三三二頁）同右　三、逐次刊行物の部（平成四年三月刊行、九七頁）　新聞、チラシを除く逐次刊行物を、ABC順に二〇八八タイトル収録（昭和六二年一〇月現在）。

相模原市立図書館

相模原市は、県内陸部の中核的な都市に発展している。人口は六〇万人を越え、横浜市、川崎市に次ぐ県内第三の都市として商工業も活発に展開されている。一方首都圏の住宅都市としての側面も強い。「市の中心はここである」ということを言いにくい都市なのだが、小田急線相模大野駅周辺、横浜線相模原駅、淵野辺駅周辺、橋本駅周辺などが賑やかな活気を見せている。

相模原市の図書館は、戦後すぐの一九四九（昭和二四）年、米国駐留軍神奈川軍政部による強力な勧奨と援助のもと、市内上溝に相模原町立公共図書館として開設された通称「カマボコ図書館」がその始まりとなっている。駐留軍使用のカマボコ型をした兵舎の提供を受けて図書館としたのでそう呼ばれていた。

その後、一九六五（昭和四〇）年、市民会館の開館と同時に図書館は会館内に移転、さらに一九七四（昭和四九）年、市制施行二〇周年記念事業として、横浜線淵野辺駅近くの現在地に新図書館が作られ、今に至っている。一九七九（昭和五四）年には、相武台分館を設置、一九九〇（平成二）年には、小田急線相模大野駅前に相模大野図書館を開館している。現在は二〇の公民館図書室を含めたサービスポイントを整備充実させ市内全域へのサービスに力を注いでいる。また数年後には北部の橋本駅近くに新図書館が設置されることが決まっている。

㊟〒229−0033
相模原市鹿沼台二−一三−一
㊁〇四二−七五四−三六〇四
Ⓕ〇四二−七五四−〇七四六
㊇ＪＲ横浜線渕野辺駅徒歩三分。
㊊午前九時〜午後七時（火〜金曜日）
午前九時〜午後五時（土、日、祝日）
㊡月曜日、祝日の翌日、年末年始、毎月第二木曜日（四月を除く）、蔵書点検期間。

市内にある九つの大学と相互協力を進めており、一定の手続きによって一般市民が大学図書館を利用できる道を開いていることも注目されている。

相模原市立図書館約五六万冊、相模大野図書館約三八万冊で、市立図書館全体の蔵書数は、約九四万冊となっている。市民の利用はたいへん盛んで三〇%を越える市民が図書館利用者となっており、一年間に約二四五万冊もの資料が貸し出されている。

資料は、一般向け図書、雑誌、児童図書、外国語資料、CD、ビデオ、と幅広く収集されている。視覚障害の方のための録音図書の貸出も行っている。

郷土資料は、調べものコーナーの一角に並べられている。所蔵は、約一万七〇〇〇冊。図書資料を中心によく収集されている。一九九五（平成七）年九月までは、市史編纂のために収集を進めている古文書等の資料を扱う「古文書室」が館内に設置されていて、収集整理、調査研究、資料の閲覧提供を行っていたが、市立博物館の開館（一九九五年一一月二〇日）に伴って、古文書を中核とした市史編纂関係資料は博物館に移管された。

図書館にある相模原に関わる資料で興味深いものとして、各分野で活躍している相模原出身者、相模原在住者、及び市内で没した著作者の著作の集めた「市民コレクション」のコーナーがある。有名無名を問わず約四〇〇名の著作が集められている。これらの著作を調べることができる『相模原著作者目録』を一九八〇（昭和五五）年に刊行、その後収集が進んで何回か改訂を行ったが、一九九六（平成六）年九月末のデータをもとに、一九九七（平成九）年三月に、五訂版が発行されている。

相模原市立博物館

相模原市立博物館は、一九八一（昭和五六）年からの一四年間にわたる準備作業を経て、一九九五（平成七）年一一月に開館した新しい博物館である。横浜線淵野辺駅から徒歩一五分。敷地は、米軍キャンプ淵野辺の跡地で、周辺には文部省宇宙科学研究所、東京国立近代美術館フィルムセンターがある。小田急線相模大野駅からバスの便もある。（相模原駅行で宇宙科学研究所入口下車）

木立ちに囲まれた地下一階、地上三階建ての施設は、「森の博物館」をイメージして建設されたという。入場は無料である。

展示

広々としたエントランスホールを入ると右手にプラネタリウムと天文展示室がある。プラネタリウムは有料である。先へ進むと自然・歴史展示室となる。「『川と台地』と人々のくらし」が常設展示のテーマとなっている。「一五〇メートルで相模原を感じ、三五〇メートルで相模原を知る」をキャッチフレーズにして準備が進められたとのことである。「台地の生い立ち」「郷土の歴史」「くらしのすがた」「人と自然のかかわり」「地域の変貌」とコーナーが五つに分かれていて、それぞれに工夫された展示が行われている。

「郷土の歴史」コーナーの江戸時代の相模原の村々を説明した展示では、村に残された地方文書について解説がされている。博物館には、市史編纂のために寄託、寄贈を受けたも

㊟〒229—0021
相模原市高根三—一—一五
㊫〇四二—七五〇—八〇三〇
Ⓕ〇四二—七五〇—八〇六一
㊌ＪＲ横浜線淵野辺駅より徒歩五分。
㊊午前九時〜午後五時。
㊡月曜日（祝日にあたるときは開館）、祝日の翌日（休日、土、日曜日にあたるときは、開館）、年末年始（12／28〜1／3）。

のを中心に約二万点の文書が収蔵されている。博物館開館を機に市立図書館「古文書室」から移管された。

「地域の変貌」のコーナーでは、昭和一〇年代になってからの「軍都計画」によって、桑などの畑作地が次々と軍用施設になっていく様子、また、戦後の高度経済成長に伴う工場の進出と急激な住宅地化の様子、最近の相模大野駅周辺の変貌などがわかりやすい資料によって解説されている。

情報サービスコーナーと市民研究室

相模原の自然や歴史について調べる時に役に立つ資料を利用できる場所として、情報サービスコーナーと市民研究室がある。

情報サービスコーナーは、一階エントランスホールの左手奥にある。動物・植物・地質・天文・歴史・民俗・地理・博物館といった各分野の入門的な図書やガイドブックなどが約三五〇〇冊並べられ自由に閲覧できる。また、市内に伝わる様々な伝承や動植物の生態をとらえたビデオが約一〇〇本あり、ブースで視聴できる。パソコンによる郷土学習のコーナーもあり、小中学生に利用されている。このほか、市や県の様々な情報を検索できる端末も置かれている。

市民研究室は、受付うしろの階段を上がった二階の左手にある。約二万冊をこえる自然、歴史、考古、民俗等の分野の専門図書や、研究調査の報告書、専門雑誌等が配架されている。全国各地の地方史類も置かれている。自然・人文の学芸員が日常的に仕事をする場でもある。より詳しい質問や相談はここで受けてくれる。資料の貸出はしていないが、閲覧だけの利用も可である。古文書や資料の特別利用についてもここで相談に応じてくれる。

全体として、市民に開かれた博物館を目指している姿勢が伝わってくる明るい博物館である。

座間市立図書館

沿革

昭和五八年に現在の地、入谷に座間市立図書館が移転開館した当初は、背後の谷戸山の原生林にはキジ、ノウサギ、タヌキが生息し、窓から見えるのは、はるか彼方の新興住宅地まで続く一面の桑畑。はたして利用者はと危惧されたものであったが、開館してみると予想に反して利用は格段に増加し、新設図書館に対する市民の期待の大きさが改めて確認された。現在では市の文化ゾーンの一角となり利用もすっかり定着し順調である。

コレクション

座間市立図書館には県央地区出身の三人の文学者のコレクション「座間市郷土特殊資料」がある。

書物研究家として少雨荘の号でも知られる斎藤昌三は明治二〇年座間町に生まれた。大正九年から趣味誌「おいら」「いもづる」を刊行。木村毅をして「明治書痴三尊の一」と呼ばしめた。発禁作品集『明治文芸側面鈔』（大正一～）を編むなど先人の触れなかった文学史の隠れた一面を集大成するなどし、これは氏の戦後の風俗文芸研究につながるものといえる。書物研究誌として知られる「書物往来」、「愛書趣味」、「書物展望」などを創刊し、また異装の限定本を多く刊行した。当館には斎藤が刊行したこれらの限定本のほとんどが収集されている。また図書以外にも原稿、蔵書票、「斎藤昌三を偲ぶ会」で配布され

㊟〒228―0024
座間市入谷三―五八七三
㊂〇四六―二五五―一一一一
Ⓕ〇四六―二五二―五七〇四
㊇小田急小田原線相武台前駅下車徒歩一八分。

㊡月曜日、月末（土～火曜日のときは翌月の第一金曜日）。年末年始、特別整理期間
㊍午前九時～午後六時五〇分（火～金曜日）。
午前九時～午後四時五〇分（土・日曜日、祝日）。

た記念品（マッチ、手拭等）なども広く収集されている。他に厚木出身の和田傳（一九〇〇〜八五）、秦野出身の前田夕暮（一八八三〜一九五一）の資料がある。

なお斎藤昌三については茅ケ崎市立図書館、和田傳については厚木市立中央図書館、前田夕暮については秦野市立図書館もそれぞれコレクションをしている。

産能大学図書館

沿革

昭和一七年、日本能率学校として創立され、二五年、産業能率短大となった。五四年、産業能率大学（経営情報学部）となり、平成元年、現校名に名称を変更した。学部は経営学部（経営学科）、経営情報学部（経営情報学科）の二学部二学科である。図書館は地上二階地下一階建てで、蔵書数は約一八万三〇〇〇冊である。

所蔵資料

蔵書内容は企業経営、コンピューター、情報科学に関する図書を中心に収集しており、全面開架でコンピューター検索ができる。

コレクション

コレクションについては、「上野陽一文庫」＝〝能率の父〟といわれた産業能率短大の設立者上野陽一（一八八三〜一九五七）の著作を集めたもので約一〇〇冊。創設は昭和六三年。「高宮晋文庫」＝第二代学長であり、日本の組織論研究のパイオニアであった高宮晋（一九〇八〜八六）の著書および旧蔵書を収めたもので約八〇〇〇冊、創設は昭和六三年。「都崎雅之助文庫」＝初代学長であった都崎雅之助（一八九七〜一九八三）の著書および旧蔵書を収めたもので、約五〇〇冊。創設は昭和六三年である。

一般の利用については、コレクションとも可能であるが、事前に照会を要する。

㊟〒259―1141
伊勢原市上粕屋一五七三
㊐〇四六三―九二―二二一八
Ⓕ〇四六三―九二―六六七一
Ⓗhttp://www.sanno.ac.jp/library/library.top.html
㊍小田急線伊勢原駅からバス一二分。
㊎午前九時〜午後七時四五分（月〜金曜日）、午前一〇時〜午後五時（土曜日）。
㊡日曜日、祝日。

昭和音楽大学附属図書館

沿革――――

昭和五年、下八川圭祐声楽研究所として創立され、一五年、東京声専音楽学校を開設、五九年、本大学が設置された。

学部は音楽学部一学部で作曲学科、器楽学科、声楽学科、音楽芸術運営学科の四科がある。

図書館は昭和四四年の設立で、蔵書冊数は平成一二年三月末日現在で約一〇万点（楽譜共）である。音楽書、楽譜―特にオペラ・声楽関係―などを収集する音楽専門の図書館である。

コレクション――――

コレクションとしては、「バウメルト・コレクション」（ドイツ・ユーリッヒの眼科医であったバウメルトの収集したクラシック室内楽の楽譜のコレクションで、主としてドイツ戦前期に発行された楽譜、演奏用の実用譜である。一六三二点。創立は昭和四三年。「小原写真コレクション」（音楽界を専門とするカメラマンであった小原敬司（一八九六～一九八六）が収集した大正末期から昭和五〇年代にかけての音楽界の写真コレクションである。未整理のものを含めて点数は約二六万点。創設年は昭和五七年）の二つがある。

一般利用については、コレクションとも、特別に許可を受けた場合のみ可能である。

㊟〒243―0804
厚木市関口八〇八
㊖〇四六二―四五―一〇五五
Ⓕ〇四六二―四五―四四〇〇
Ⓗhttp://www.tosei-showa-music.ac.jp/
㊛小田急線本厚木駅からバス二〇分。
㊑午前八時四五分～午後七時（月～金曜日）、午前八時四五分～午後四時三〇分（土曜日）。
㊡日曜日、祝日、夏季の一定期間。

女子美術大学図書館

沿革

明治三三年、女子美術学校として創立され、昭和四年、専門学校となり、二四年、新制度により大学となった。平成二年、東京都杉並区より現在地に移転した。学部は芸術学部一学部で絵画科、デザイン科、工芸科、芸術学科の四科がある。図書館の建物は四階建て（併設）である。

所蔵資料

蔵書冊数は平成一二年三月末現在で一四万七〇〇〇冊である。蔵書内容は美術関係資料が中心となっている。

コレクション

コレクションとしては、ドイツの考古学者で古代美術史家であったハインリッヒ・フォン・ブルン（一八二二～九四）の旧蔵書である「**ブルン文庫**」がある。一九世紀後半に欧米の学術雑誌に発表された研究論文二四〇〇余タイトルからなり、それらが四七三部に合冊製本されている。内容はギリシア・ローマの美術史や考古学を中心として巾広い領域にわたっている（昭和五五年創設）。

図書館の利用については、紹介状があれば可能で、閲覧・レファレンス・コピーができる。また、「ブルン文庫」については所属する機関の紹介状、あるいは館長の許可を得た

㊟〒228―8538
相模原市麻溝台一九〇〇
㊫〇四二―七七八―六六一六
Ⓕ〇四二―七七八―六六三九
Ⓗhttp://www.joshibi.ac.jp/library/toshokan.htm
㊋小田急線相模大野駅からバス二〇分。
㊐午前九時～午後八時（月～金曜日）、午前九時三〇分～午後五時（土曜日）。
㊡日曜日、祝日。

ものは利用できるが、現在は資料の劣化が激しいので利用不可となっており、利用希望の際に事前確認を要する。

津久井郡郷土資料館

沿革——

津久井郡郷土資料館は、津久井町中野の旧蚕業取締所の建物の中に、一九七一（昭和四六）年四月一日に設置されている。年季の入った木造の建物で、現在は津久井郡建設業協会の事務所が同居しており、一階の一角が郷土資料館となっている。交通は、JR・京王線の橋本駅から三ケ木《みかげ》行きバスに乗り、奈良井で下車すると徒歩で三分ほどである。

資料館発行の「郷土資料館のしおり」では、発足のいきさつについて、二つの大きな要素があったと説明している。

ひとつは、一九六四（昭和三九）年、神奈川の水がめとして建設された城山ダムの出現とともに誕生した津久井湖の湖底に沈んだ地区の人々が使っていたためぼしい産業用具や生活用具を収集し、保存することが強く求められたことである。もうひとつは、相模湖町若柳地区出身で津久井地域の郷土史研究に勢力を傾け、柳田国男の村落調査に協力するなど日本民俗学発展のためにも功績のあった郷土史家鈴木重光（一八八七〜一九六七）が生前収集した膨大な書籍類、その他の資料を保存し、郷土を学ぶために利用できる施設を設置しようという機運が高まったことである。この二つの要素によって、設立が計画され、津久井郡郷土資料館は誕生した。

㊟〒220—0207
神奈川県津久井郡中野一六八一
㊔〇四二七—八四—七八三九
㊂JR中央線、京王線橋本駅からバス三ケ木行奈良井徒歩三分。
㊕午前九時〜午後四時三〇分。
㊡日・月・火・木曜日、年末・年始（12／28〜1／4）。
㊄無料。

現況

資料館の運営は、少し変則的といえるかも知れない。単独の自治体による運営ではなく、津久井郡の四町（城山・津久井・相模湖・藤野）が拠出する助成金によって、津久井郡文化財保護委員連絡協議会と四町の教育委員会が管理・運営を行っている。収蔵されている資料は次のように多岐にわたるものとなっている。

所蔵資料

鈴木重光の所蔵していた膨大な雑誌と図書がある。

雑誌は、明治期から昭和三〇年代ころまでの主として大衆雑誌である。「少年倶楽部」の明治三五年三月の創刊号から昭和二二年頃までのものが揃っているのを始めとして、「幼年倶楽部」「少年世界」「武侠世界」、「キング」、「新小説」等々三〇タイトル余りが所蔵されている。とくに明治期のものが数多く含まれており、大変貴重なコレクションとなっている。

図書は、鈴木重光の専門分野である民俗学関係から神奈川県内の文化財、民俗・考古学関係の調査報告などの刊行物がかなりの点数あるが、特筆すべきは、雑誌と同様に明治期に刊行された図書の所蔵である。中でも、明治二〇年頃から大正初期にかけて刊行された講談本（大川屋書店発行）約四〇〇冊のコレクションは圧巻である。そのほかにも「世界御伽噺」（明治二九年〜明治四一年頃にかけて刊行）、「日本御伽噺」（明治二八年〜明治三二年頃にかけて刊行）のシリーズなどが揃っている。

教科書類の所蔵も多い。江戸期の寺小屋で使われたもの、明治初期の学制発布当時のものもあり、明治・大正・昭和の国定教科書はかなりの点数が揃っている。また、戦前の旧制中学、女学校、青年学校の教科書も所蔵されている。

絵葉書・写真・その他　これらも貴重な鈴木重光コレクションである。とくに充実しているのは、明治初期からの絵葉書約一万点である。現在のJR中央線の明治三四年開業当時の絵葉書、甲州街道の宿場の面影を残す現相模湖町与瀬の町並み、ダム湖に沈む前の相模川での暮らしぶりなど津久井地域の昔のありさまを目で見て振り返ることのできる重要な資料群となっている。ほかに、煙草の空き箱のコレクションも目をひく。一九〇六（明治三六）年以前の専売法公布前の刻み煙草の箱が揃っているほか、紀元二六〇〇年記念のものなど記念煙草の箱もいろいろあって、明治から昭和までの煙草の変遷をたどることができる。

変わったところでは、各種の入場券やプログラムも集められている。昭和初期のトーキー映画の入場券などが興味深い。

産業用具・生活用具類　津久井湖の出現で湖底に沈んだ地域で使用されていた農業用具、漁業用具、養蚕用具、生活用具が収集されて、展示されている。明治から昭和にかけての津久井地域での生業と暮らしを考えることのできる資料として貴重である。

以上のような所蔵資料の内容は、「展示資料案内」（一九九六年四月刊）として冊子になっている。1．書籍資料類、2．写真類、3．掛け軸その他、4．民具類と大別されてリスト化されているが、所蔵資料が膨大なため、掲載されているのは資料の一部ということである。

資料館では、鈴木コレクションの貴重な絵葉書類等をもとにしたスライドを製作し、児童・生徒から・成人までの地域を知る学習に活かしている。また収集・展示されている民具類についても例えば、「あかりのうつりかわり」といったようなテーマを絞ったガイドを作って学習に役立てやすいような工夫を行っている。

週三回（水・金・土）のみの開館、施設は老朽化しており、恵まれた環境を得られない状態ではあるが、その所蔵資料の内容は大変貴重なものが多く充実している。資料の内容を活かした活動もよく工夫されている。願わくば、施設面、職員体制面でもっともっと貴重な資料の保存と活用が進むよう関係行政当局の配慮を期待したい。

なお、学校等の団体で見学希望の場合は、休館日でも開館することができるので、連絡いただきたいとのことである。

津久井町立尾崎咢堂記念館

沿革

「憲政の神様」と讃えられ、普通選挙を実現させる運動の陣頭に立つなど、わが国民主政治の礎を築くことに尽力した政治家・咢堂尾崎行雄（一八五九〜一九五四）の功績を記念し、その思想と行動を後世に伝えることを目的として設立された施設である。

ＪＲ・京王線の橋本駅から三ケ木《みかげ》行バスで奈良井で下車し、徒歩一〇分ほど。城山ダムの出現で生まれた津久井湖にほど近い。

記念館が建てられている津久井町又野は、尾崎家代々の屋敷があったところである。尾崎家は代々又野村の名主を務めた家柄。咢堂はこの地に一八五八（安政五）年に生まれ、一八六八（明治元）年上京するまでの幼少期を過ごしている。一九五四（昭和二九）年九六歳の生涯を逗子で閉じた。

咢堂ゆかりのこの地に記念館を設立しようという計画は、一九五三（昭和二八）年津久井地域の町村長等有志が集まって「尾崎咢堂うまれ地記念事業会」が組織されたことにより具体化した。建設にあたっては、津久井郡内だけでなく全国の篤志家に呼びかけて浄財を募り、県からの財政的な援助も得られた。建物は津久井町出身の建築家井上一典の設計によるもので、木曾馬籠の藤村記念館を参考にしたという。

一九五七（昭和三二）年一月二五日開館。九二（平成二）年二月には、施設充実のため、

㊟〒220—0208
神奈川県津久井郡津久井町又野六九一
㊫〇四二七—八四—〇六六〇
㊛ＪＲ横浜線、京王線橋本駅からバス三ケ木行奈良井下車徒歩一〇分。
㊑午前九時〜午後四時三〇分。
㊡月曜日、祝日の翌日、年末年始。

増築と内装の全面改修を行っている。改修により建物面積は三二六平方メートルに広がった。

現況

施設は、研修室と図書室を兼ねた多目的室と関連資料が展示されている資料室から成る。多目的室に並べられている図書は主に児童図書で、地域の子どもたちの身近な図書室として利用されている。壁面に咢堂の生涯を描いた手作りの紙芝居が掲げられている。

展示

資料室には、尾崎家の由来を説明した家系図等から始まり、咢堂の生涯と業績をたどることのできる関連資料が展示されている。各年代ごとの咢堂の写真、咢堂の筆になる書、足袋・靴下・綿入れ・スキー帽等の遺品類、などがあるが、中でも、少年時代のものである、反故紙に書き連ねた書の練習の筆跡は咢堂の生の姿を思い描くことができるものとして興味深い。資料室の正面には赤松麟作の画になる肖像画「尾崎行雄氏像」(昭和三年作)がかかっている。

所蔵資料

展示をよりわかりやすくするために不足する関連資料をコピーの入手によって補う努力を行っていることは特筆される。例えば新潟新聞社時代(明治一二年から一四年)に新潟新聞に執筆した論説を原資料を所蔵している新潟県立図書館からコピーの送付を受けて展示しているといったふうにである。こうした展示の工夫は、館長である樋口孝治氏の尽力によるところが大きい。樋口氏は、記念館の資料をもとにした調査研究の成果を「尾崎行雄と津久井の人々」「尾崎行雄と二人の夫人」ほかの冊子にまとめ、記念館の刊行物として発表されている。残部が僅少のものもあるとのことだが、入手については問い合わせをすると良い。

咢堂の著作については、主として大塚喜一氏の寄贈によるものが所蔵・展示されている。『咢堂自伝』(昭和一二)、『日本憲政史を語る　上・下』(昭和一三)等である。『咢堂全集』は、戦前に刊行された版及び戦後に刊行された版が所蔵されている。

津久井町には、有志による「尾崎行雄を全国に発信する会」(事務局　〇四二七―八四―〇〇一六　山本書店内)があり、記念館を拠点として、会報「がくどう」を発行するなど活発に活動していることを付記しておく。

なお咢堂が衆議院議員として立候補、当選した地である三重県伊勢市にも「咢堂記念館」が設置されている。詳細は、県別図書館案内シリーズ『三重県の図書館』(三一書房刊)を参照されたい。

帝京大学薬学部図書館

沿革

昭和六年に設立された帝京商業学校を母体として、四一年、大学（経済学部・文学部）となった。以後、法学部・医学部・薬学部・理工学部を順次設置した。

キャンパスは東京の板橋、八王子、栃木県の宇都宮および本県の相模湖と四か所にある。相模湖キャンパスには薬学部がある。

所蔵資料

図書館棟は地上五階地下一階建てで、二・三階が図書館となっており、蔵書冊数は九五〇〇〇冊、雑誌八〇〇種をもつ。また、四階の医薬情報室には四〇〇〇点を超える医療用、一般用医薬品が展示され、教育・研究情報の提供も行っている。

コレクション

コレクションとしては、「薬学の古典」（昭和五二年創設、東洋医学やインド、イスラムなどの伝統医学に用いられた薬用植物を中心とした古典のコレクション）を収集している。

利用については、一般公開はしていないが、希望するときは図書館の紹介状および事前の照会が必要。

㊟〒199―0195
津久井郡相模湖町寸沢嵐一〇九一―一
㊊〇四二六―八五―三七一〇
Ⓕ〇四二六―八五―一六四三
㊋ＪＲ中央本線相模湖駅からバス一三分。
㊐午前九時～午後五時（月～金曜日）、午前九時～午後二時（土曜日）。
㊡日曜日、祝日、夏季の一定期間。

東京工芸大学中央図書館

沿革

大正一二年、小西写真専門学校として創立され、昭和二五年、東京写真短期大学、四年、東京写真大学となった。五二年、現校名に改称され、五三年、大学院を設置した。また、五七年に開設された女子短期大学部を併設している。

キャンパスは東京・中野と厚木の二つに分れており、本県にある厚木キャンパスには工学部および芸術学部一、二年が在籍。

所蔵資料・利用

図書館は三階建てで、蔵書冊数は平成一二年三月末現在で、約一二万冊である。蔵書内容は自然科学、技術関係書が主となっている。また、図書館の利用については、閲覧・レファレンス・コピーについて可能である。

また、女子短期大学部は昭和五七年にわが国初の秘書科を設置して開設された。学科は秘書科のみである。建物は五階建ての一階部分にあり、蔵書数は平成一二年三月末現在で四万四〇〇〇冊である。

蔵書は社会科学系の本を中心に収集している。利用は公開講座受講者のみ可能で、閲覧、貸し出し及びコピーサービスが受けられる。

㊟〒243―0297 厚木市飯山字西登山一五八三
㊫〇四六―二四二―九五〇一
Ⓕ〇四六―二四二―三五四六
Ⓗhttp://www.t-kougei.ac.jp/library/
㊇小田急線本厚木駅からバス二〇分。
㊺午前九時一〇分～午後七時三〇分（月～金曜日）、午前九時一〇分～午後五時（土曜日）。
㊡日曜日、祝日。

短期大学部図書館
㊟〒243―0297 厚木市飯山二一八四
㊫〇四六―二四一―一七三二

秦野市立図書館

沿革

秦野市は、丹沢の麓に広がる町で、葉たばこの生産が知られていたが、近年では、電子機器の工場なども進出、発展を見せている。

現況

秦野市立図書館は、一九五五（昭和三〇）年四月、当時の市立中央公民館の2階に開館している。それ以来何度か場所を移したが、八五（昭和六〇）年一一月、現在地に延べ床面積約三七〇〇平方メートル、鉄筋コンクリート二階建の広々とした規模を持つ図書館が開館し、サービスを展開している。

近隣にある東海大学付属図書館との連携を進めていることも注目されている。公共図書館と大学図書館の協力の好事例となっている。簡単な手続きで市民が東海大学図書館を利用できる申し合わせをしている。小田急線秦野駅を降りて、市内を流れる水無川を少し上流へ行った、運動公園、文化会館が集まったゾーンの一角に図書館はある。駅からはバスの便がある。建物は、広い敷地にゆったりと建てられ、「大きな山小屋」といった雰囲気がある。北側に窓が大きくとられていて、正面に丹沢の山なみを眺望できる。前庭には大きな柿の木や檜の林があってなかなかの風情である。周囲の環境と眺望は県内図書館随一といってもよ過言ではない。

㊟〒257－0015
秦野市平沢九四－一
㊖〇四六三－八一－七〇一二
Ⓕ〇四六三－八三－八三七〇
㊇小田急秦野駅からバス文化会館前下車。
㊐午前九時三〇分～午後七時（水曜、木曜、金曜）。
午前九時三〇分～午後五時（火曜、土・日・祝日）。
㊡月曜、毎月最後の金曜、祝日の翌日。

所蔵資料――一階がおとなの本のフロアとこどもの本のフロア、二階に調べ物をするための調査研究室と秦野出身の歌人・前田夕暮の記念室、視聴覚室がある。蔵書は、約四一万冊である。うち郷土資料が約一万一〇〇〇冊ほどである。

コレクション――**前田夕暮記念室**　二階の一角にある前田夕暮記念室は特筆される。現在の図書館の開館にあたって、夕暮に師事した歌人香川進氏が収集していた関係資料の寄贈を受けて設置されたものである。

歌人前田夕暮は、一八八三（明治一七）年、当時の大住郡南矢名村（現在は秦野市）生まれ。若山牧水とともに自然主義歌人として一時代を築いた。その後新鋭鮮烈な作風で、北原白秋らとともに歌壇の「新感覚派」と称されるなど精力的に活動した。昭和初期には、口語自由律短歌を開拓したが、後に定型に復帰した。一九五一（昭和二六）年没。秦野市内権現山頂上の「生きることかなしとおもふ山峡ははだら雪ふり月照りにけり」の歌碑（一九五一年建立）が著名であったが、八六年には、市立大根小学校と県立秦野高校にも歌碑が建てられている。

前田夕暮記念室には、資料として図書、自筆原稿、歌集、夕暮が刊行した短歌雑誌、書簡、墨跡、写真、着用した和服等の遺品約三〇〇点が収集され、常設の展示で目にすることができる。歌壇に認められるきっかけとなったパンフレット歌集「哀楽第一」「哀楽第二」（一九〇七、〇八）、大正期の「陰影」（一九一二）、「原生林」（一九二五）、昭和期の「水源地帯」（一九三二）、「耕土」（一九四六）など歌集の初版本をはじめ雑誌「向日葵」「詩歌」「日光」の創刊号、自身の筆になる掛軸といった貴重な資料が多い。「夕暮記念室資料目録」が一九八七年に作成されている。

なお図書館の事業として「夕暮祭短歌大会」「前田夕暮記念こども短歌大会」を定期的に開催しているほか、前田夕暮研究の図書の出版も『前田夕暮・人と作品』（一九八八）などこれまでに十数点を数えている。

夕暮記念室には、秦野出身の国文学者谷 鼎《たにかなえ》関係の資料も収集され、「谷鼎コーナー」として展示されている。谷は、一八九六（明治二九）年、現在の秦野市渋沢生まれ。教職を続けながら短歌研究に取り組み、「定歌歌集評釈」（一九三〇）、「評解新古今集名選」「評解万葉集選」（ともに一九三二）、さらには名著として評価の高い「短歌鑑賞の論理」（一九四三）など多数の著作がある。自身も歌作に取り組み、いくつかの歌集を刊行している。また、一九五五年には雑誌「近代詩歌」を創刊している。一九六〇（昭和三五）年没。収集、展示されている資料は、自筆原稿、自身の著書、歌集、雑誌「近代短歌」のほか文具などの遺品にも及んでいる。これらの資料は谷家の協力によって収集されたものである。

香川文庫　前田夕暮記念室の開設にあたって尽力した夕暮門下の歌人香川進は、自身の所蔵資料多数を図書館に寄贈、それが香川文庫となっている。香川は、一九一〇（明治四三）年香川県生まれ。一九三二年から前田夕暮に師事。歌集「甲虫村落」で第七回釈迢空賞を受賞している。
コレクションの内容は、明治から現代に至る歌集や歌論などの短歌関係資料である。その数は、図書約六〇〇〇点、同人誌を中心とした雑誌約一六〇種というまとまったコレクションとなっている。「東西南北」(与謝野鉄幹・与謝野晶子共著、一八九六)、「赤光」(斎藤茂吉、一九一三)など明治・大正期の図書をはじめ戦後の短歌関係図書も約五〇〇〇点あり、充実した内容になっている。短歌関係の同人誌は通常、公共の図書館で収集することが難しい資料である。約一六〇種という香川文庫のコレクションはその意味でも貴重である。「香川文庫目録」が一九八八年に作成されている。現在一部が閲覧可能となっている。利用の際は図書館に相談されたい。

だいやす文庫　秦野市内で古くから醤油醸造業を営んでいた「大安」の娘である近藤いね子氏が、その遺産の中から一九七三(昭和四八)年以来寄付した基金をもとに購入した資料群である。

近藤氏は、津田塾大学名誉教授、英文学者として活躍されたが、地域の発展のために力を注いだ父、佐藤政吉を記念する意味から「大安」が店を整理した際の分配金を図書館の拡充に使ってほしいと秦野市へ寄付、図書館では、寄付をした近藤氏の意向にそって、キリスト教関係図書、法律関係、教育関係図書等叢書類を中心にして資料を選定し収集した。一九七四年から収集を始め、現在までにその数約二二〇〇点となっている。基本的な叢書類が「だいやす文庫」として収集されており、図書館にとってはなくてはならない資料群となっている。利用はいつでも可。「だいやす文庫目録」が一九九五年に作成されている。

小田原市郷土文化館

沿革

昭和三〇年、小田原城址水の公園内にあった小田原市立図書館の移転にともない、その旧館を利用して開館した。その後、四六年、小田原城常盤木門内に移転したが手狭になり、四八年、現図書館に隣接する、県婦人職業専修訓練校舎であった現施設に移転した。

小田原城址の一角にあり、JR小田原駅より徒歩一〇分のところに位置する。木造二階建てで、展示室、図書室、事務室、会議室、収蔵庫からなっている。

所蔵資料

考古資料、小田原城関係などの歴史資料、民俗資料、自然科学資料（化石、標本など）が収集され、これらが考古・歴史・文化人・民俗・自然科学資料室に展示されている。

刊行物

「小田原市郷土文化館研究報告書」（人文科学・自然科学に分け、各々隔年刊行）があり、また、行事としては、人文あるいは自然科学に関する研究会を開催している。入館は自由である。

なお、市内板橋に〝電力王〟といわれた故松永安左衛門の旧宅を利用した分館「松永記念館」がある。

㊟〒250―0014
小田原市城内七―八
㊫〇四六五―二三―一三七七
㊇JR東海道本線、小田急線
小田原駅下車徒歩一〇分。
㊞午前九時～午後五時。
㊡年末年始（一二月二九日～一月一日）。
㊓無料。

小田原市立図書館

沿革・現況

足柄下郡図書館（大正五年御大典記念として設立、同一二年郡制廃止により足柄下郡教育会に移管、同年九月の関東大震災により倒壊、蔵書は郡内各小学校に分割し保管）の蔵書を引き継ぎ、小田原町図書館として、昭和七年一一月設立認可、八年四月開館した。場所は城址・水の公園内で、木造二階建て、二八四・九平方メートル、蔵書は当初、三〇五〇冊であった。一五年一二月、市制を施行、市立図書館となり、同二九年私立新名女子高校（現私立旭丘高校）の移転に伴ない、その跡地に移転（木造二階建て、八二五平方メートル）、六月開館した。

昭和三三年五月、市内矢作（旧足柄下郡矢作村）出身で、米国移民として成功し帰朝していた星崎定五郎（一八七九〜一九六六）より、児童福祉センターと図書館の建設費として五万ドル（当時の邦貨換算一八〇〇万円）の寄付の申し出を受けた。当時の鈴木市長はこれにより、図書館の隣接地への市民会館建設計画もあったことから、新図書館建設を決め、三四年二月起工、同一一月竣工開館した。これが現在の図書館であるが、当時市営テニスコートとして利用されていた。旧小田原城南曲輪の西寄りの一帯に位置した（小田原駅より徒歩約一〇分）敷地は二八五六平方メートル、鉄筋コンクリート造三階建て、建設費は星崎氏の寄付金と公費、県の補助金三五〇〇万円余であった。

㊟〒250−0014
小田原市城内七−一七
㊂〇四六五−二四−一〇五五
Ⓕ〇四六五−二四−一一九五
㊇JR東海道本線小田原駅下車徒歩一〇分。
㊍午前九時〜午後五時（火〜日曜日。但し、金曜日は午後七時）。
㊡月曜日、第一水曜日、年末年始、特別整理期間。

全体の館の名称は寄付者の姓を冠して「星崎記念館」とし、従来の児童室に相当する部分を「児童文化館」（小・中学生室、こども科学室、こども倶楽部、小劇場および視聴覚室を担当）として図書館とは区別した。また、図書館の名称を「小田原市図書館」から「小田原市立図書館」と改めた。その後、五五年一〇月、児童文化館は図書館と合併した。図書館の閲覧室は館の正面から向って右側の入口から入って三階にあり、小・中学生室は正面向って左側の入口を入って直ぐ左側にある。以上が現在、西館として図書館の中心館となっている館（特別コレクションもこちらにある）の概要であるが、平成六年八月、新たに東館として、市内酒匂川の東側の川東地区に「小田原市立かもめ図書館」が開館した。この館のある鴨宮を中心とした川東地区は近年郊外型の商業地域として急速に伸びてきた所であり、同館も開放的で市民のいこいの場となるよう設計されている。敷地面積九一一二・〇八平方メートル、建設面積三六二六・五三平方メートル、延床面積五六五七・二二平方メートル、鉄筋コンクリート・一部鉄筋造、三階建てである。一階には一般図書・児童図書コーナー等、二階には視聴覚コーナー・ホール、集会室、対面朗読室、ボランティア室等があり、三階は機械室等となっている。なお、近くの市の川東タウンセンターには「マロニエ図書室」があり、三館はオンラインで結ばれている。平成一二年四月一日現在で、蔵書冊数は一六万五〇〇〇冊（うち児童書は四万四〇〇〇冊）である。貸出しについては、図書三冊、紙芝居三点（各二週間）、視聴覚資料五点（一週間）となっている。

同館は横浜、鎌倉等と並び、戦前からの図書館として、貴重な資料を多く所蔵している。

すなわち、郷土資料を核とした蔵書構成を標榜する一方で、特殊コレクション（同館では「特別集書」と称している）を多数所蔵し、戦前から永い年月をかけて整理し、順次目録を作成して刊行してきている。以下、コレクションの概略を紹介するが、利用については、西館に照会して欲しい。

コレクション――――

片岡文書　小田原宿本陣に生れ、小田原町助役を勤めた片岡永左衛門の旧蔵書で町方関係文書、原稿等四九一点。江戸時代の小田原宿を知る上で貴重な資料である。

山県公文庫　明治の元勲であった山県有朋の旧蔵書一〇一七点。明治から大正に至る資料で多分野にわたる。特に山県公自身の書き入れ本、傍線本や蔵書印のある本を始め、貴重な図書が多く含まれている。

木村錦花文庫　演劇研究家木村錦花旧蔵の演劇関係の図書一〇七二点、原稿・台本三四〇点。この中には、「演劇画報」の創刊号（明治四〇年）から昭和一二年までが含まれている。

板倉文庫　大久保忠真箪蹟や軸・絵図等を含む小田原藩関係の資料一三五点。片岡文書、小田原有信会文庫と共に、江戸期小田原を知るために貴重な資料である。

小田原有信会文庫　旧小田原藩関係の資料八八点。「近世小田原史稿本」「御家中先祖並親類書」を始めとして、文書、写本、図面、写真などが含まれている。

牧野信一資料　小田原出身の作家牧野信一（一八九六～一九三六）に関する資料で、未発表を含む原稿類や同人雑誌「十三人」は貴重である。

長谷川如是閑文庫　評論家、新聞人長谷川如是閑旧蔵の一般教養図書五八三冊。著者署名入りの献呈本や詩集、歌集などが多く含まれている。

山崎元幹文庫　元満鉄総裁山崎元幹の満鉄に関する資料など七九五種、一五九二冊。満鉄や昭和史研究の上で貴重な参考資料である。

報徳集書　昭和八年の同館開館以来、郷土の生んだ偉人二宮尊徳（一七八七～一八五六）に関する資料を収集し、特別集書としてまとめている。

青蛙荘文庫　元当館館長石井富之助（号を青蛙荘という）の旧蔵書で、郷土資料を中心とする図書館関係や有名作家の色紙などと八八九点。

藤田西湖文庫　甲賀流忍術第一四世、藤田西湖の旧蔵書三〇九五点。内容は武術全般にわたり、写本、和本、巻子など形態的にも特徴があるものが多い。

小田原文学館・白秋童謡館

沿革

この建物は、昭和一二年に元宮内大臣、伯爵田中光顕（一八四三〜一九三九）の別邸として建設されたものであるが、小田原市ではスペイン風様式の外観を持つ建物の保存をかねて、平成六年一一月、小田原出身やゆかりの文学者の資料を展示し、公開する文学館として発足させたものである。

小田原駅から箱根方面行きバスで、箱根口バス停下車徒歩五分の海岸に近い屋敷町の中にあり、建物は鉄筋コンクリート三階、一部木造平屋建てで、一階、二階が展示室となっている。

展示

展示内容は、小田原出身の文学者である北村透谷、尾崎一雄、薮田義雄、川崎長太郎、福田正夫、井上康文などと、小田原ゆかりの文学者である北原白秋、谷崎潤一郎、大木惇夫、長谷川如是閑、加藤一夫などの著作、原稿、書簡、短冊、記念写真や遺品などで、一・二階に分けて展示されている。また、「牧野信一　生誕百年」展（平成八年一一月〜一二月開催）などの企画展が随時開催されている。また和風建築の別館（二階建て）があるが、同伯爵が大正一三年に建てたもので、この一階部分を改修して、平成一〇年秋、「白秋童謡館」がオープンした。

㊟〒250―0013
小田原市南町二―三―四
㊋〇四六五―二二―九八八一
Ⓗhttp://www.ny.airnet.ne.jp/odawara/
㊇JR東海道線小田原駅からバス箱根口下車徒歩五分。
㊎午前九時〜午後五時（入館は午後四時三〇分まで）。
㊡年末年始（一二月二八日〜一月四日まで）。
㊓有料。

なお、同館は一二年四月、国指定有形文化財に登録された。

神奈川県立生命の星・地球博物館

沿革

県立博物館の再編により、従来一館であった博物館が県立歴史博物館と本館との二館にわかれ、歴史博物館は旧来の横浜の博物館を改修整理して発足し、本館は新たに小田原市入生田の現在地に立地し、新設されたものである。開館は平成七年三月二〇日である。箱根登山鉄道入生田駅から国道一号線をはさんだ真向いにあり、敷地面積は四万一七九二平方メートル、建築面積八一六五平方メートル、延床面積一万九〇二〇平方メートルで、建物は地上四階、塔屋一階、地下一階建てである。職員は三七名で、館長、副館長以下三部（管理・企画情報・学芸）四課（管理・経理・企画普及・情報資料）二担当（動物・植物、古生物・地球環境）にわかれている。収蔵資料は、地球科学に関するもので四〇万点を超える。

当館の設立目的は、地球及び生命の営みに関する資料の収集、保管及び展示並びにこれに関する調査研究、情報提供を行い、県民の学習活動を支援することとされている。これに沿って、地球、生命、神奈川、共生の四つの柱が建てられ、館内構成がつくられ、また、展示、学習支援、調査研究、収蔵の側面から県民への学習支援および調査研究活動が進められている。

㊟〒250―0031
小田原市入生田四九九
㊢〇四六五―二一―一五一五
Ⓕ〇四六五―二一―一五一五
Ⓗhttp://www.city.odawara.kanagawa.jp/museum/ghtml
㊎午前九時〜午後四時三〇分（火曜〜日曜日、祝日、入館は四時まで）。
㊡月曜日、祝日の翌日、年末年始、館内整理の日（偶数月の第三木曜日、ただし、八月は除く）。
㊒有料。但し、ミュージアム・ライブラリーは無料。

展示

一階と三階が四つの柱による常設展示室となっているが、三階にはさらに、本の百科事典を模した展示ケースによってテーマ展示するジャンボブック展示室があり、約一万点が展示されている。また、一階にはミュージアムシアターがあり、基本テーマ「生命の星・地球」の展示ストーリーを二〇〇インチのハイビジョン映像でわかりやすくガイダンスしているが、三一三席のシアターはシンポジウムなどの多目的ホールとしても使用されている。

ミュージアムライブラリーは二階にあり、自然科学を主とした図書、雑誌に加え、ビデオ、CD・ROMにより鑑賞設備も備えられており、学芸員が質問に答えるシステムとなっている。また、博物館の所蔵情報は情報システムにより検索できるようになっており、テーマ別の検索も可能である。ここでは学習相談も受けられるようになっている。

研究

研究活動としては、神奈川県レッドデータ生物調査、地球熱史プロジェクト、伊豆・小笠原弧の研究、などが順次進められている。

箱根町立箱根関所資料館

沿革

箱根の関所は徳川幕府により元和五年（一六一九）に設けられ、明治二年（一八六九）廃止されるまで、三五〇年間にわたり、いわゆる〝入鉄砲と出女〟の取締りを主に、厳しい掟のもとに通行の取り締まりを行なった。

関所跡は国の史跡となっているが、箱根町では昭和四〇年五月、この前に関所を復元した。施設は御番所と資料館とからなっている。

御番所は木造銅板葺平屋建二棟（二二六平方メートル）からなっており、中には番頭から足軽までの等身大の人形を陳列し、また、関所で使用した三ツ道具武器などを配している。

資料館は御番所から北へ一〇〇メートル程のところにあり、木造瓦葺平屋建一棟（三九二平方メートル）からなっている。

所蔵資史料

関所に関わる史資料を約一〇〇〇点展示している。関所手形と判鑑、関所日記控帖、火縄銃、短筒、道中絵図、箱根七湯絵図（広重画）、関札、出女改メ証文、宿帳、官員録（明治初年）などである。また、中世文書として秀吉禁制書、後北条虎の印状、元禄衣裳、秀吉肖像画、御朱印箱、近世文書として、「大岡越前守箱根境界査定大絵図」など約一〇

㊟〒250—0521
足柄下郡箱根町箱根一
㊫〇四六〇—三—六六三五
Ⓕ〇四六〇—三—六三八三
㊛JR東海道本線小田原駅よりバス箱根町行五五分関所跡入口下車。
㊡なし。
㊎午前九時〜午後五時（但し、入館は四時三〇分まで、また一二月〜二月は三〇分短縮）。

○○点が保存されている。

刊行物――『箱根御関所日記書抜』（上・中・下）、『箱根関所資料集』『芦の湖分水史考』、「関所の本」「はこね」「関所だより」など。

箱根町立郷土資料館

沿革

同館は昭和五八年七月開館した。設置目的としては、考古資料、民俗資料、文書資料等の箱根の歴史に関する資料を収集保管及び展示等を行うとともに、これらの資料に関する調査研究と教育普及活動を行い、町民の文化の向上等に資する、こととなっている。

箱根登山鉄道及び小田急線の箱根湯本駅から徒歩五分、箱根町役場の隣接地にあり、建物は地上三階、地下一階建てである。資料は二階図書室及び一階収蔵庫に納められている。

現況

地形の関係から三階が入口となっており、同階には常設及び特別展示室がある。ここは有料で、常設展示としては、湯治の道、箱根八里、生活の道を三本の柱として箱根の歴史を紹介している。また、特別展示は江戸時代から近代までのテーマで、夏、秋の年二回実施されている。二階は教育委員会事務局及び図書室、学習室となっている。

所蔵資料

図書室には電動式の書架に約一万三〇〇〇冊の図書があり、自由に閲覧できる。箱根の歴史に関する図書を重点的に収集している。入室は無料で、三階の受付に申し出るか、二階の入口からも入れるようになっている。座席は一二席である。また、一階に収蔵庫があり、民俗・考古・歴史資料や寄託資料が収蔵されている。これらの資料の利用については

㊟〒250―0311
足柄下郡箱根町湯本二六六
㊕〇四六〇―五―七一一一
(町役場経由)
㊋箱根登山鉄道箱根湯本駅下車。
㊐午前九時～午後四時三〇分
(但し、入館は四時まで)。
㊡毎週水曜日、毎月最終月曜日。
㊢可。

職員に申し出て図書室等で利用することができるが、これらの中で大平台の旧名主家であった藤曲《ふじまがり》家文書は貴重なコレクションとなっている。

刊行物――

出版活動としては、『箱根叢書』の刊行(三〇巻が平成一二年で完結)や展示目録、資料集、調査報告、館報等を出している。また、行事としては、歴史教室、史跡見学会、古文書勉強会、体験学習などを実施している。

報徳博物館

沿革

二宮尊徳（一七八七〜一八五六）に関する資料の展示と保存を目的に昭和五八年九月、財団法人報徳福運社（昭和三三年設立）を主体として建設された。昭和五一年九月に小田原で開かれた二宮尊徳一二〇年祭記念全国大会以後検討されてきた構想が実現したものである。小田原駅から徒歩で一〇分程の小田原城址に接し、報徳二宮神社とは道路を隔てて反対側の閑静な落着いた環境のところにある。建物は地上三階、地下一階建てである。一階は受付、図書コーナー、事務室等、二階は展示室、三階は研究室、研修室、整理室、収蔵庫等、地階は講堂等となっている。

現況

事業は、企画展、古文書に親しむ会、報徳ゼミナール、報徳生活原理講座の開催、博物館友の会の活動、博物館実習、県指定重要文化財（二宮尊徳関係歴史資料）の補修、調査・取材活動、資料収集等を実施している。

刊行物

「報徳博物館資料集」（逐次）、「館報」（年一回）を刊行している。二宮尊徳に関する資料、情報は内山稔寄贈の「内山文庫」を含め、網羅的に収集すると共に諸活動を行ない、尊徳研究を多方面から支援している。

㊟〒250−0013　小田原市南町一−五−七二
㊋〇四六五−二三−一一五一
㊇JR東海道本線小田原駅下車徒歩一五分。
㊐午前九時〜午後五時（但し、入館は四時三〇分まで）。
㊡毎週水曜日、祝日の翌日。
㊢可。

真鶴町公民館図書室

真鶴町は本県の西部、小田原市と湯河原町にはさまれた面積七平方キロメートルの町で、小松石で名高い石材業、漁業、風光明媚な真鶴半島を擁した観光業を主産業としている。

真鶴町公民館は老人福祉センターとの複合施設として、真鶴町民センターの中にある。同センターは敷地面積一七八六平方メートル、建築面積八七〇平方メートル、地上三階、地下一階建てで、昭和五九年二月二一日の開館である。公民館部分は二、三階にあり、図書室は二階にある。二万二〇〇〇冊開架の閲覧室、辞書類の配架された座席一六席の学習室、児童書が配架された座席二〇席の児童閲覧室および一万冊収容の書庫から成り立っている。職員は二名で、貸出は一人五冊、二週間である。

コレクション

前田鐵之助文庫　詩人前田鐵之助（一八九六～一九七七）の旧蔵書一〇〇五点で、創設年は昭和六〇年である。前田の著作、直筆原稿、日記や親交のあった中西悟堂ら詩人の著作も含まれる。利用については同文庫目録により検索して申し込む。

㊟〒259―0202
足柄下郡真鶴町岩一七二―八
㊫〇四六五―六八―一一三一
Ⓕ〇四六五―六八―一五五一
㊇東海道線真鶴駅下車徒歩七分。
㊊午前九時～午後五時（火曜日～日曜日、祝日）。
㊡月曜日、国民の祝日の翌日、年末年始。
㊕無料。

湯河原町立図書館

湯河原町は本県の南西端に位置し、静岡県熱海市と接している。古来、万葉集の時代から温泉の町として知られている。図書館は昭和五四年三月一日、東海道線の湯河原駅前の徒歩三分のところに建設された。地上三階、地下一階、建物の延面積は一九三七平方メートルである。蔵書冊数は一三万四〇〇〇冊（平成一二年三月末現在）である。一、二階および地階が閲覧室、参考図書室などとなっている。また、貸出については一人一〇点（冊）で、図書は二週間、視聴覚資料と雑誌は一週間となっている。

コレクション――――

室伏高信文庫　評論家室伏高信の旧蔵書で、一八四冊。主著である『文明の没落』（批評社、大正一三年）『青年の書』（モナス、昭和一一年）『東洋の書』（元元書房、昭和一八年）や戦前期の集大成ともいえる『室伏高信全集』（全一五巻、青年書房、昭和一二年）などの他、大正時代に刊行された『民主主義について』（上田屋、大正六年）『社会主義批判』（批評社、大正一四年）『民衆戦ふ可き乎』（批評社、大正一四年）などが含まれる。創設年は平成三年、なお、収集者の室伏高信氏（明治二五〜昭和四五）は湯河原町生まれで、明治大学法科中退後、ジャーナリスト、文明評論家として活躍した。第一次大戦後、雑誌「改造」の特派員として渡欧、のち雑誌「日本評論」の主筆となり、相模湖町で逝去した。

㊟〒259―0303
足柄下郡湯河原町土肥一―一四―一三
㊊〇四六五―六三―四一五五
Ⓕ〇四六五―六二―〇二三九
㊋JR東海道本線湯河原駅から徒歩三分。
㊏午前九時三〇分〜午後五時（火曜日〜木曜日、土・日曜日。祝日）、午前一〇時〜午後七時（金曜日）。
㊡月曜日、毎月一日、祝日の翌日、年末年始、特別整理期間（四月の一週間）。
㊓無料。

温泉関係資料　江戸時代中頃から昭和初期にかけての温泉に関する文献約一六〇点を収集。創設年は昭和六一年。江戸時代に刊行の『温泉小説』（延享三年）『諸国名物往来』（文政七年）『洗場手引草』（勿晦亭等琳作、安政五年）や明治期の『日本温泉独案内』（ヘールツ著、明治一二年）『日本鉱泉論』（中央衛生会、明治一三年）などの概論書と共に、各地の温泉案内として、『いかほの道中ふり』（橘常樹著、宝暦八年）『箱根温泉道之記』（宝暦一四年）などを収集。

なお、コレクションの閲覧については事前に予約する。

刊行物――――

「湯河原と文学」、所蔵目録として『湯河原町立図書館蔵温泉関係資料目録』（昭和六一年）が出されている。

県内図書館・文書館・博物館一覧（五十音順）

○は本文中で解説した機関
＊は神奈川県図書館協会加盟館
市立図書館の配列は、市の中心図書館を最初に置いた。

愛川町立郷土資料館
〒243-0307　愛甲郡愛川町半原二二〇一　(電)〇四六—二八一—一八二八

＊愛川町図書館
〒243-0392　愛甲郡愛川町角田二五〇—一　(電)〇四六—二八五—二一一一　Ⓕ〇四六—二八六—九八八〇

○＊青山学院大学図書館厚木分館
〒243-0123　厚木市森の里青山一—一　(電)〇四六—二四八—六二四〇　Ⓕ〇四六—二五〇—二七四八

○＊麻布大学附属学術情報センター
〒229-8501　相模原市渕野辺一—一七—七一　(電)〇四二—七五四—七一一一　Ⓕ〇四二—七七六—三〇五九

○＊厚木市立中央図書館
〒243-0018　厚木市中町一—一—三　(電)〇四六—二二三—〇〇三三　Ⓕ〇四六—二二三—三一八三

厚木市郷土資料館
〒243-0003　厚木市寿町三—一五—二六　(電)〇四六—二二五—二五一五

＊綾瀬市立図書館
〒252-1103　綾瀬市深谷三八三八　(電)〇四六七—七七—八一九一、八一九七　Ⓕ〇四六七—七〇—四一〇五

和泉短期大学図書館
〒229-8522　相模原市青葉二—二—一　(電)〇四二—七五四—一一三三

＊伊勢原市立図書館
〒259-1142　伊勢原市田中七六　(電)〇四六三—九二—三五〇〇　Ⓕ〇四六三—九二—三五〇一

岩崎博物館
〒231-0862　横浜市中区山手町二五四　電〇四五—六二三—二二一一
アール・ヌーボー様式の工芸・服飾品を展示。

○馬の博物館
〒231-0853　横浜市中区根岸台一—三　電〇四五—六六二—七五八一

江戸民具街道
〒259-0142　足柄上郡中井町久所四一八　電〇四六五—八一—五三三九

江島神社奉安殿
〒251-0036　藤沢市江の島二—三—八　電〇四六六—二二—四〇二〇
「妙音弁財天裸像」などの宝物を所蔵。

江ノ島水族館
〒251-0035　藤沢市片瀬海岸二—一七—二五　電〇四六六—二二—八一一一

海老名市温古館
〒243-0405　海老名市国分南一—一九—三六　電〇四六—二三三—四〇二八
国分寺跡の考古品を展示。

○*海老名市立図書館
〒243-0434　海老名市上郷四七四—四　電〇四六—二三一—五一五二　Ⓕ〇四六—二三五—五八八〇

***海老名市立有馬図書館**
〒243-0426　海老名市門沢橋五〇八—一　電〇四六—二三八—四六四六　Ⓕ〇四六—二三九—二二八四

遠藤貝類博物館
〒259-0202　足柄下郡真鶴町岩四七九　電〇四六五—六八—〇三五七
「オキナエビスガイ」のコレクションが有名。

大磯町郷土資料館
〒255-0005　中郡大磯町西小磯四四六—一　電〇四六三—六一—四七〇〇

○*大磯町立図書館
〒255-0003　中郡大磯町大磯九九二　電〇四六三—六一—三〇〇二　Ⓕ〇四六三—六一—七九一三

＊大井町図書館
〒258-0019　足柄上郡大井町金子一九九五　㊟〇四六五―八三―五四〇九　Ⓕ〇四六五―八二―三二九〇

○大倉精神文化研究所付属図書館
〒222-0031　横浜市港北区太尾町七〇六　㊟〇四五―五四二―〇〇五〇

○大佛次郎記念館
〒231-0862　横浜市中区山手町一一三　㊟〇四五―六二二―五〇〇二

小田急鉄道資料館
〒214-0023　川崎市多摩区長尾二―八―一（向ケ丘遊園内）　㊟〇四四―九一一―四二八一

○小田原市郷土文化館
〒250-0014　小田原市城内七―八　㊟〇四六五―二三―一三七七

小田原市尊徳記念館
〒250-0852　小田原市栢山二〇六五―一　㊟〇四六五―三六―二三八一

＊小田原女子短期大学図書館
〒250-0045　小田原市城山四―五―一　㊟〇四六五―二二―八二五三　Ⓕ〇四六五―二二―八二五三

○＊小田原市立図書館
〒250-0014　小田原市城内七―一七　㊟〇四六五―二四―一〇五五　Ⓕ〇四六五―二四―一一九五

＊小田原市立かもめ図書館
〒250-0875　小田原市南鴨宮一―五―三〇　㊟〇四六五―四九―七八〇〇～二　Ⓕ〇四六五―四九―七八〇三

○小田原文学館・白秋童話館
〒250-0013　小田原市南町二―三―四　㊟〇四六五―二二―九八八一

＊開成町民センター図書室
〒258-0026　足柄上郡開成町延沢七七三　㊟〇四六五―八二―五二二一　Ⓕ〇四六五―八二―九三八八

○海洋科学技術センター情報室
〒237-0061　横須賀市夏島町二―一五　㊟〇四六

八―六六―三八一一

○＊**神奈川県議会図書室**
〒231-8588　横浜市中区日本大通一　㊟〇四五―二一〇―一一一一　Ⓕ〇四五―二一〇―八九〇七

神奈川県警察交通安全センター交通展示館
〒221-0802　横浜市神奈川区六角橋六―九―一二　㊟〇四五―四九一―二六八八

○＊**神奈川県県政情報センター**
〒231-8588　横浜市中区日本大通一　㊟〇四五―二一〇―一一一一　Ⓕ〇四五―二一〇―八八三五

○＊**神奈川県産業技術総合研究所図書室**
〒243-0435　海老名市下今泉七〇五―一　㊟〇四六―二三六―一五〇〇　Ⓕ〇四六―二三六―一五二八

○＊**神奈川県社会福祉協議会福祉資料室**
〒221-0844　横浜市神奈川区沢渡四―二　㊟〇四五―三一一―八八六五　Ⓕ〇四五―三一二―九三四一

神奈川県水産総合研究所研究資料閲覧室
〒238-0237　三浦市三崎町城ケ島養老子　㊟〇四六―八八一―二三一一　Ⓕ〇四六八―八二―三七九〇

○＊**神奈川県水道記念館図書資料室**
〒253-0106　高座郡寒川町宮山四〇〇一　㊟〇四六七―七四―三四七八　Ⓕ〇四六七―七五―一九九二

○**神奈川県農業総合研究所文献資料室**
〒259-1204　平塚市上吉沢一六一七　㊟〇四六三―五八―〇三三三　Ⓕ〇四六三―五八―四二五四

＊**神奈川県保健教育センター図書室**
〒235-0005　横浜市磯子区東町六―一三　㊟〇四五―七五二―一二二一　Ⓕ〇四五―七五四―四六四七

○＊**神奈川県ライトセンター**
〒241-8585　横浜市旭区二俣川一―八〇―二　㊟〇四五―三六四―〇〇二三　Ⓕ〇四五―三六四―〇〇二七

○＊**神奈川県立衛生短期大学図書館**
〒241-0815　横浜市旭区中尾一―五―一　㊟〇四五―三六一―四一　Ⓕ〇四五―三六二―八七

八五

○*神奈川県立栄養短期大学図書館

〒240-0011 横浜市保土ケ谷区桜ケ丘二―四三―一 ㊫○四五―三三一―○九八八 Ⓕ○四五―三三三―九四一一

○*神奈川県立外語短期大学図書館

〒235-0021 横浜市磯子区岡村四―一五―一 ㊫○四五―七四一―九九四一 Ⓕ○四五―七二一―二八六八

○*神奈川県立神奈川近代文学館

〒231-0862 横浜市中区山手町一一○ ㊫○四五―六二二―六六六六 Ⓕ○四五―六二三―四八四一

○*神奈川県立かながわ女性センター図書館

〒251-0036 藤沢市江の島一―一一―一 ㊫○四六六―二七―二一一一 Ⓕ○四六六―二五―六四九九

○*神奈川県立金沢文庫

〒236-0015 横浜市金沢区金沢町一四二 ㊫○四五―七○一―九○六九 Ⓕ○四五―七八八―一○六○

○*神奈川県立川崎図書館

〒210-0011 川崎市川崎区富士見二―一―四 ㊫○四四―二三三―四五三七 Ⓕ○四四―二一○―一一四六

*神奈川県立看護教育大学校図書室

〒231-0836 横浜市中区根岸町二―八五―二 ㊫○四五―六二三―○五八六 Ⓕ○四五―六二三―五○一一

○*神奈川県立教育センター図書室

〒251-0871 藤沢市善行七―一―一 ㊫○四六六―八一―○一八五（内三五○） Ⓕ○四六六―八三―四六六○

神奈川県立近代美術館

〒248-0005 鎌倉市雪ノ下二―一―五三 ㊫○四六七―二二―五○○○

○*神奈川県立公文書館

〒241-0815 横浜市旭区中尾一―六―一 ㊫○四五―三六四―四四五六 Ⓕ○四五―三六四―四四五九

神奈川県立青少年センター
〒220-0044　横浜市西区紅葉ケ丘九―一　㊟〇四五―二四一―三三一一

神奈川県立生命の星・地球博物館
〒250-0031　小田原市入生田四九九　㊟〇四六五―二一―一五一五　Ⓕ〇四六五―二三―八八四六

○＊**神奈川県立第二教育センター図書資料室**
〒252-0813　藤沢市亀井野二五四七―四　㊟〇四六六―八一―八五二一　Ⓕ〇四六六―八三―四五〇〇

神奈川県立丹沢湖ビジターセンター
〒258-0202　足柄上郡山北町玄倉五一五　㊟〇四六五―七八―三八八八

○＊**神奈川県立地球市民かながわプラザ情報フォーラム**
〒247-0007　横浜市栄区小菅ケ谷一―二―一　㊟〇四五―八九六―二九七七　Ⓕ〇四五―八九六―二二九九

○＊**神奈川県立図書館**
〒220-8585　横浜市西区紅葉ケ丘九―二　㊟〇四五―二四一―三一三一　Ⓕ〇四五―二四一―〇九八五

神奈川県立病院附属看護専門学校図書室
〒243-0005　厚木市松枝二―六―五　㊟〇四六―二二一―一七七五　Ⓕ〇四六―二二三―三五一五

神奈川県立フラワーセンター大船植物園
〒247-0072　鎌倉市岡本一〇一八　㊟〇四六七―四六―二一八八

神奈川県立埋蔵文化財センター
〒232-0033　横浜市南区中村町三―一九一―一　㊟〇四五―二五二―八六六一

神奈川県立宮ケ瀬ビジターセンター
〒243-0111　愛甲郡清川村宮ケ瀬九四〇―一五　㊟〇四六―二八八―一三七三

○**神奈川県立歴史博物館**
〒231-0006　横浜市中区南仲通五―六〇　㊟〇四五―二〇一―〇九二六　Ⓕ〇四五―二〇一―七三六四

○＊**神奈川工科大学附属図書館**
〒243-0203　厚木市下荻野一〇三〇　㊟〇四六―二四一―六二二一　Ⓕ〇四六―二四二―六一一一

○*神奈川歯科大学図書館

〒238-8580　横須賀市稲岡町八二　㊓〇四六八—二二—九三六一　Ⓕ〇四六八—二五—一八九二

○*神奈川大学図書館

〒221-8686　横浜市神奈川区六角橋三—二七—一　㊓〇四五—四八一—五六六一　Ⓕ〇四五—四一三—三六四二

鎌倉国宝館

〒248-0005　鎌倉市雪ノ下二—一—一　㊓〇四六七—二二—〇七五三

○*鎌倉市中央図書館

〒248-0012　鎌倉市御成町二〇—三五　㊓〇四六七—二五—二六一一～三　Ⓕ〇四六七—二四—六五四四

***鎌倉市大船図書館**

〒247-0056　鎌倉市大船二—一—二六　㊓〇四六七—四五—七七一〇　Ⓕ〇四六七—四三—五七一一

***鎌倉市腰越図書館**

〒248-0033　鎌倉市腰越八六四　㊓〇四六七—三三—〇七一一　Ⓕ〇四六七—三三—〇七二四

***鎌倉市玉縄図書館**

〒247-0072　鎌倉市岡本二—一六—三　㊓〇四六七—四四—二二一八　Ⓕ〇四六七—四三—五七二二

***鎌倉市深沢図書館**

〒248-0022　鎌倉市常盤一一一—三　㊓〇四六七—四八—〇〇二二　Ⓕ〇四六七—四三—五六七六

***鎌倉女子大学図書館**

〒247-8511　鎌倉市岩瀬一四二〇　㊓〇四六七—四四—二一一一　Ⓕ〇四六七—四四—七一三一

鎌倉市吉屋信子記念館

〒248-0016　鎌倉市長谷一—三—六　㊓〇四六七—二二—〇八〇五

鎌倉パブロバ記念館

〒248-0026　鎌倉市七里が浜一—三—二六　㊓〇四六七—三二—三七一一

○鎌倉文学館

〒248-0016　鎌倉市長谷一—五—三　㊓〇四六七—二三—三九一一　Ⓕ〇四六七—二三—五九五二

カリタス女子短期大学図書館
〒225-0011 横浜市青葉区あざみ野二—二九—一
(電)○四五—九〇一—五一三三 Ⓕ○四五—九〇一—五〇六六

○川崎市市民ミュージアム
〒211-0052 川崎市中原区等々力一—二 (電)○四四—七五四—四五〇〇

川崎市青少年科学館
〒214-0032 川崎市多摩区枡形七—一—二 (電)○四四—九二二—四七三一

＊川崎市盲人図書館
〒210-0024 川崎市川崎区日進町五—一（川崎市福祉センター内） (電)○四四—二二一—三一八一
Ⓕ○四四—二四六—五五九〇

川崎市夢見ケ崎動物公園
〒211-0955 川崎市幸区南加瀬一—二—一 (電)○四四—五八八—四〇三〇

＊川崎市立麻生図書館
〒215-0004 川崎市麻生区万福寺一—五—二 (電)○四四—九五一—一三〇五 Ⓕ○四四—九五二—二七四八

○＊川崎市立川崎図書館
〒210-0007 川崎市川崎区駅前本町一二—一川崎駅前タワー・リバーク四階 (電)○四四—二〇〇—七〇一一 Ⓕ○四四—二〇〇—一四二〇

＊川崎市立看護短期大学図書館
〒211-0954 川崎市幸区小倉一—五四—一 (電)○四四—五八七—三五四二 Ⓕ○四四—五八七—三五四八

＊川崎市立幸図書館
〒212-0023 川崎市幸区戸手本町一—一一—二
(電)○四四—五四一—三九一五 Ⓕ○四四—五四一—四七四七

○＊川崎市立高津図書館
〒213-0001 川崎市高津区溝ノ口四—一六—三
(電)○四四—八二二—二四一三 Ⓕ○四四—八四四—七五九四

○＊川崎市立多摩図書館
〒214-0014 川崎市多摩区登戸一七七五—一 (電)○四四—九三五—三四〇〇 Ⓕ○四四—九一一—

〇〇三〇

○＊川崎市立中原図書館
〒211-0063　川崎市中原区小杉町三―四一七　(電)〇四四―七二二―四九三二　Ⓕ〇四四―七三三―七五二四

＊川崎市立宮前図書館
〒216-0006　川崎市宮前区宮前平二―二〇―四　(電)〇四四―八八八―三九一八　Ⓕ〇四四―八八八―五七四〇

川崎市立日本民家園
〒214-0032　川崎市多摩区枡形七―一―一　(電)〇四四―九二二―二一八一
日本各地の古民家二三棟を移築。

○川崎市立労働会館労働資料室
〒210-0011　川崎市川崎区富士見二―五―二（市立労働会館内）　(電)〇四四―二二二―四四一六

＊関東学院女子短期大学図書館
〒236-8503　横浜市金沢区六浦町四八三四　(電)〇四五―七八七―七八四〇　Ⓕ〇四五―七八七―七八四二

○＊関東学院大学図書館
〒236-0032　横浜市金沢区六浦町四八三四　(電)〇四五―七八六―七〇二二　Ⓕ〇四五―七八五―九五七二

観音崎自然博物館
〒239-0813　横須賀市鴨居四―一一二〇　(電)〇四六八―四一―一五三三
海と人の関わりをテーマにした資料を収集・展示。

○＊北里大学教養図書館
〒228-8555　相模原市北里一―一五―一　(電)〇四二―七七八―九二二三　Ⓕ〇四二―七七八―九二三四

記念艦三笠
〒238-0003　横須賀市稲岡町八二―一九　(電)〇四六八―二二―五四〇八

＊清川村図書室
〒243-0112　愛甲郡清川村煤ケ谷二一二一六　(電)〇四六―二八八―三八九五

靴下博物館（坂田記念資料室）
〒223-0050　横浜市港北区綱島五―四―五　㈱ナ

イガイ横浜センター内　(電)〇四五―五四一―四二五七

熊野郷土博物館
〒222-0002　横浜市港北区師岡町一一三七　(電)〇四五―五三一―〇一五〇

○慶応義塾大学湘南藤沢メディアセンター
〒252-0816　藤沢市遠藤五三二二　(電)〇四六六―四七―五一一一　Ⓕ〇四六六―四七―五〇三〇

○＊慶応義塾大学日吉メディアセンター
〒223-8525　横浜市港北区日吉四―一―一　(電)〇四五―五六六―一〇三五（代）　Ⓕ〇四五―五六〇―一〇五九

○慶応義塾大学理工学メディアセンター
〒223-8522　横浜市港北区日吉三―一四―一
(電)〇四五―五六六―一四七七　Ⓕ〇四五―五六三―三四三三

京急油壷マリンパーク
〒238-0225　三浦市三崎町小網代一〇八二―二
(電)〇四六八―八一―六二八一

黄庵今昔民俗研究所
〒257-0001　秦野市鶴巻北三―一一―一光鶴園内
(電)〇四六三―七七―一五〇〇

強羅公園箱根自然博物館
〒250-0408　足柄下郡箱根町強羅一三〇〇　(電)〇四六〇―二―二八二五

＊相模湖町立桂北公民館図書室
〒199-0101　津久井郡相模湖町与瀬一一三四―三
(電)〇四二六―八四―二三七七　Ⓕ〇四二六―八四―二一五〇

○＊相模女子大学附属図書館
〒228-8533　相模原市文京二―一―一　(電)〇四二―七四二―一四一一　Ⓕ〇四二―七四三―四九一六

相模原市立あじさい会館福祉図書館
〒229-0036　相模原市富士見六―一―二〇　(電)〇四二―七五九―三九六三　Ⓕ〇四二―七五九―四三八二

＊相模原市立相模大野図書館
〒228-0803　相模原市相模大野四―四―一　(電)〇

四二―七四九―二二四四　Ⓕ〇四二―七四九―二七六六

相模原市立相模川ふれあい科学館

〒229-1124　相模原市田名九一―二　電〇四二―七六二―二一一〇

○＊相模原市立図書館

〒229-0033　相模原市鹿沼台二―一三―一　電〇四二―七五四―三六〇四　Ⓕ〇四二―七五四―〇七四六

○相模原市立博物館

〒229-0021　相模原市高根三―一―一五　電〇四二―七五〇―八〇三〇

○＊座間市立図書館

〒228-0024　座間市入谷三―五八七三　電〇四六―二五五―一二一一　Ⓕ〇四六―二五二―五七〇四

＊寒川町図書館

〒253-0106　高座郡寒川町宮山一〇三〇　電〇四六七―七五―〇〇二一

三溪園

〒231-0824　横浜市中区本牧三之谷五八―一　電〇四五―六二一―〇六三四

原富太郎収集の絵画、書、工芸品を展示。

○＊産能大学図書館

〒259-1141　伊勢原市上粕屋一五七三　電〇四六三―九二―二二一八　Ⓕ〇四六三―九二―六六七一

三之宮郷土博物館

〒259-1103　伊勢原市三ノ宮一四七二　電〇四六三―九五―三二三七

ジョイナスの森彫刻公園

〒220-8602　横浜市西区南幸一―五―一　電〇四五―三一九―二二七一

松蔭女子短期大学附属図書館

〒243-0124　厚木市森の里若宮九―一　電〇四六―二四七―一五一一

上智短期大学図書館

〒257-0005　秦野市上大槻山三王台九九九　電〇四六三―八三―九三四一　Ⓕ〇四六三―八一―七

八〇九

＊湘南工科大学附属図書館
〒251-8511　藤沢市辻堂西海岸一―一―二五　(電)〇四六六―三〇―〇二八〇　Ⓕ〇四六六―三四―四三七三

湘南国際女子短期大学図書館
〒252-0805　藤沢市円行八〇二　(電)〇四六六―八二―三三三一

＊湘南短期大学図書館
〒238-8580　横須賀市稲岡町八二　(電)〇四六八―二二―八七八四　Ⓕ〇四六八―二五―二五九五

＊湘北短期大学図書館
〒243-8501　厚木市温水四二八　(電)〇四六―二五〇―八九二九　Ⓕ〇四六―二四七―八〇五五

〇昭和音楽大学附属図書館
〒243-0804　厚木市関口八〇八　(電)〇四六二―四五―一〇五五

昭和大学医療短期大学図書館
〒226-8555　横浜市緑区十日市場町一八六五　(電)〇四五―九八五―六五〇八

〇＊女子美術大学図書館
〒228-8538　相模原市麻溝台一九〇〇　(電)〇四二―七七八―六六一六　Ⓕ〇四二―七七八―六六三九

シルク博物館
〒231-0023　横浜市中区山下町一　(電)〇四五―六四一―〇八四一
「絹」の歴史、できるまで、風俗衣裳などを展示。

＊城山町立公民館図書室
〒220-0105　津久井郡城山町久保沢一―三―一　(電)〇四二―七八二―一一一一　Ⓕ〇四二―七八三―一七二二

水心堂・魚のハクセイ館
〒240-0116　三浦郡葉山町下山口一〇九　(電)〇四六八―七八―六四四〇

逗子市郷土資料館
〒249-0005　逗子市桜山八―二―二七五　(電)〇四六八―七三―一七四一

〇＊逗子市立図書館
〒249-0006　逗子市逗子四―二―一〇　(電)〇四六

八—七一—五九九八　Ⓕ〇四六八—七三—四二九一

○＊**聖マリアンナ医科大学医学総合情報センター**

〒216-8511　川崎市宮前区菅生二—一六—一　電〇四四—九七七—八一一一　Ⓕ〇四四—九七七—九八三五

○＊**専修大学図書館**

〒214-8580　川崎市多摩区東三田二—一—一　電〇四四—九一一—一二七四　Ⓕ〇四四—九一一—〇五三八

○＊**洗足学園大学附属図書館**

〒213-8580　川崎市高津区久本二—三—一　電〇四四—八五六—二九七六　Ⓕ〇四四—八五六—二九七四

前場資料館

〒243-0034　厚木市船子五九六　電〇四六—二二八—六六四四

各種の大工道具と建築関係の古書・資料を収蔵。

創価学会戸田平和記念館

〒231-0023　横浜市中区山下町七—一　電〇四五—六四〇—四五〇〇

そごう美術館

〒220-8510　横浜市西区高島二—一八—一　電〇四五—四六五—二三六一

大塔宮鎌倉宮宝物殿

〒248-0002　鎌倉市二階堂一五四　電〇四六七—二二—〇三一八

多摩田園都市まちづくり館

〒226-0064　横浜市緑区田奈町七六　電〇四五—九八二—八五五五

茅ヶ崎市美術館

〒253-0053　茅ヶ崎市東海岸北一—四—四五　電〇四六七—八八—一一七七

茅ケ崎市文化資料館

〒253-0055　茅ケ崎市中海岸二—二—一八　電〇四六七—八五—一七三三

○＊**茅ケ崎市立図書館**

〒253-0053　茅ケ崎市東海岸北一—四—五五　電〇四六七—八七—一〇〇一　Ⓕ〇四六七—八五—八二七五

彫刻の森美術館
〒250-0493　足柄下郡箱根町二の平一一二一　㊢○四六〇―八二―一一六一

***調布学園短期大学図書館**
〒215-8542　川崎市麻生区東百合丘三―四―一　㊢○四四―九六六―三四四三　Ⓕ○四四―九五五―四三四五

○津久井郡郷土資料館
〒220-0207　津久井郡津久井町中野一六八一　㊢○四二―七八四―七八三九

○津久井町立尾崎咢堂記念館
〒220-0208　津久井郡津久井町又野六九一　㊢○四二七―八四―○六六○

***津久井町文化福祉会館図書室**
〒220-0207　津久井郡津久井町中野六三三　㊢○四二―七八四―三二一一（内線四一）　Ⓕ○四二―七八四―四六九三

鶴岡八幡宮宝物殿
〒248-8588　鎌倉市雪ノ下二―一―三一　㊢○四六七―二二―○三一五

○鶴岡文庫
〒248-0005　鎌倉市雪ノ下二―一七―二○　㊢Ⓕ○四六七―二二―九一四四

○*鶴見大学図書館
〒230-8501　横浜市鶴見区鶴見二―一―三　㊢○四五―五八一―一〇〇一　Ⓕ○四五―五八四―八一九七

○帝京大学薬学部図書館
〒199-0195　津久井郡相模湖町寸沢嵐一〇九一―一　㊢○四二六―八五―三七一○　Ⓕ○四二六―八五―一六四三

電車とバスの博物館
〒213-0002　川崎市高津区二了四―八―一　㊢○四四―八二二―九〇八四

○電信電話ことはじめヨコハマ館
〒231-0862　横浜市中区山下町一七四横浜ネットワークセンタ山下ビル　㊢○一二〇―五五八―四五八

***桐蔭横浜大学大学情報センター**
〒225-8502　横浜市青葉区鉄町一六一四　㊢○四

五—九七四—一二六二　Ⓕ〇四五—九七四—五〇九三

東海大学医療技術短期大学図書館
〒259-1201　平塚市南金目一四三　(電)〇四六三—五八—一二一一

○＊東海大学附属図書館
〒259-1292　平塚市北金目一一一七　(電)〇四六三—五八—一二一一　Ⓕ〇四六三—五〇—二〇五九

○＊東京工芸大学中央図書館
〒243-0297　厚木市飯山一五八三　(電)〇四六—二四二—九五〇一　Ⓕ〇四六—二四二—三五四六

＊東京工芸大学女子短期大学部図書館
〒243-0213　厚木市飯山二一八四　(電)〇四六—二四一—一七三一　Ⓕ〇四六—二四一—六六七七

東芝科学館
〒212-8582　川崎市幸区小向東芝町一　(電)〇四四—五四九—二二〇〇

動物愛護資料館
〒243-0121　厚木市七沢一四七〇　(電)〇四六—二四七—一五六六

○＊東洋英和女学院大学図書館
〒226-0015　横浜市緑区三保町三二　(電)〇四五—九二二—〇三〇一　Ⓕ〇四五—九二一—七八一五

＊トキワ松学園横浜美術短期大学図書館
〒227-0033　横浜市青葉区鴨志田町一二〇四　(電)〇四五—九六三—四一一四　Ⓕ〇四五—九六一—七三七一

○徳富蘇峯記念館
〒259-0123　中郡二宮町二宮六〇五　(電)〇四六三—七一—〇二六六

＊中井町農村環境改善センター図書室
〒259-0197　足柄上郡中井町比奈窪五六　(電)〇四六五—八一—一一一一　Ⓕ〇四六五—八一—五一四五

中村正義の美術館
〒215-0001　川崎市麻生区細山七—二—八　(電)〇四四—九五三—四九三六

＊二宮町図書館
〒259-0123　中郡二宮町二宮一二四〇—一〇　(電)〇四六三—七二—六九一三　Ⓕ〇四六三—七二—

六九一四

○**日本新聞博物館**

〒231-8311　横浜市中区日本大通一一　電〇四五—六六一—二〇四〇　F〇四五—六六一—二〇二九

○＊**日本大学生物資源科学部湘南図書館**

〒252-8510　藤沢市亀井野一八六六　電〇四六六—八四—三八五一　F〇四六六—八四—三八五五

日本大学生物資源科学部資料館

〒252-8510　藤沢市亀井野一八六六　電〇四六六—八四—三八九二

日本漫画博物館漫画寺

〒211-0051　川崎市中原区宮内四—一一—一四（常楽寺境内）　電〇四四—七六六—五〇六八

○**日本郵船歴史資料館**

〒231-0002　横浜市中区海岸通三—九　電〇四五—二一一—一九二三

パイロット筆記具資料館

〒254-8585　平塚市西八幡一—四—三パイロット平塚工場内　電〇四六三—三五—八〇四二

箱根芦之湯フラワーセンター

〒250-0523　足柄下郡箱根町芦之湯八四—五五　電〇四六〇—三—七三五〇

箱根神社宝物殿

〒250-0522　足柄下郡箱根町元箱根八〇—一　電〇四六〇—三—七一二三

箱根町立大涌谷自然科学館

〒250-0631　足柄下郡箱根町仙石原一二五一　電〇四六〇—四—九一四九

○**箱根町立郷土資料館**

〒250-0311　足柄下郡箱根町湯本二六六　電〇四六〇—五—七一一一

箱根町立箱根湿生花園

〒250-0631　足柄下郡箱根町仙石原八一七　電〇四六〇—四—七二九三

○**箱根町立箱根関所資料館**

〒250-0521　足柄下郡箱根町箱根一　電〇四六〇—三—六六三五

箱根町立森のふれあい館

〒250-0521　足柄下郡箱根町箱根三八一—四　電

○四六〇―三―六〇〇六

箱根美術館
〒250-0408　足柄下郡箱根町強羅一三〇〇　(電)〇四六〇―二―二六二三

＊箱根町社会教育センター図書室
〒250-0406　足柄下郡箱根町小涌谷五二〇　(電)〇四六〇―二―二六九四　Ⓕ〇四六〇―二―三五三七

長谷寺宝物館
〒248-0016　鎌倉市長谷三―一一―二　(電)〇四六七―二二―六三〇〇

秦野市立桜土手古墳展示館
〒259-1304　秦野市堀山下三八〇―三　(電)〇四六三―八七―五五四二

○＊秦野市立図書館
〒257-0015　秦野市平沢九四―一　(電)〇四六三―八一―七〇一二　Ⓕ〇四六三―八三―八三七〇

葉山しおさい博物館
〒240-0111　三浦郡葉山町一色二一二三―一　(電)〇四六八―七六―一一五五

○＊葉山町立図書館
〒240-0112　三浦郡葉山町堀内一八七四　(電)〇四六八―七五―〇〇八八　Ⓕ〇四六八―七六―一八六四

盤古堂考古資料展示室
〒241-0804　横浜市旭区川井宿町二―三八　(電)〇四五―九五四―三九三九
横浜出土の弥生～古墳時代の土器を展示。

光と緑の美術館
〒229-1122　相模原市横山三―六―一八　(電)〇四二―七五七―七一五一
イタリア現代美術のコレクション。

○＊平塚市中央図書館
〒254-0041　平塚市浅間町一二―四一　(電)〇四六三―三一―〇四一五　Ⓕ〇四六三―三一―九九八四

＊平塚市北図書館
〒254-0013　平塚市田村五一五五―一　(電)〇四六三―五三―一一三二　Ⓕ〇四六三―五三―一二六一

***平塚市西図書館**
〒254-0911 平塚市山下七六〇—三 (電)〇四六三—三六—三五五五 Ⓕ〇四六三—三六—七二三〇

***平塚市南図書館**
〒254-0813 平塚市袖ケ浜二〇—一 (電)〇四六三—二一—三〇八〇 Ⓕ〇四六三—二一—五一八一

平塚市博物館
〒254-0041 平塚市浅間町一二—四一 (電)〇四六三—三三—五一一一

平塚市美術館
〒254-0073 平塚市西八幡一—三—三 (電)〇四六三—三五—二一一一

○*フェリス女学院大学附属図書館
〒231-8651 横浜市中区山手町三七 (電)〇四五—六八一—五一四九 Ⓕ〇四五—六五一—〇九一六

○フォーラムよこはま情報ライブラリ
〒220-8113 横浜市西区みなとみらい二—二—一—一 ランドマークタワー13F (電)〇四五—二二四—一一三三 Ⓕ〇四五—二二四—二〇〇九

藤沢市江の島植物園
〒251-0036 藤沢市江の島一—三—二八 (電)〇四六六—二二—〇二〇九

藤沢市湘南台文化センターこども館
〒252-0804 藤沢市湘南台一—八 (電)〇四六六—四五—一五一一

○*藤沢市総合市民図書館
〒252-0804 藤沢市湘南台七—一八—二 (電)〇四六六—四三—一一一一 Ⓕ〇四六六—四六—一一三〇

○*藤沢市湘南大庭市民図書館
〒251-0861 藤沢市大庭五四〇六—四 (電)〇四六六—八六—一六六六 Ⓕ〇四六六—八六—一四四一

***藤沢市辻堂市民図書館**
〒251-0047 藤沢市辻堂二—一五—八 (電)〇四六六—三五—〇〇二八 Ⓕ〇四六六—三六—五一八六

***藤沢市南市民図書館**
〒251-0026 藤沢市鵠沼東八—一 (電)〇四六六—

二七—一〇四四　Ⓕ〇四六六—二七—一〇四五

藤沢市点字図書館
〒251-0037　藤沢市鵠沼海岸六—六—一二　電〇四六六—三四—一六六二

○藤沢市文書館
〒251-0054　藤沢市朝日町一二—六　電〇四六六—二四—〇一七一

＊藤野町図書室
〒199-0204　津久井郡藤野町小渕一九九二　電〇四二六—八七—二一一一（内線五〇三）　Ⓕ〇四二六—八七—二八一一

ブリキのおもちゃ博物館
〒231-0862　横浜市中区山手町二三九　電〇四五—六二一—八七一〇

○＊文教大学湘南図書館
〒253-0007　茅ケ崎市行谷一一〇〇　電〇四六七—五三—二一一一　Ⓕ〇四六七—五四—三七一九

○＊防衛大学校図書館
〒239-8686　横須賀市走水一—一〇—二〇　電〇四六八—四一—三八一〇（内線二一〇五）　Ⓕ〇四六八—四三—三八一八

○放送ライブラリー
〒231-0021　横浜市中区日本大通一一　電〇四五—二二二—二八二八

○報徳博物館
〒250-0013　小田原市南町一—五—七二　電〇四六五—二三—一一五一

細山郷土資料館
〒215-0001　川崎市麻生区細山三—一〇—一〇　電〇四四—九五四—三九三三

升水記念図書館
〒254-0811　平塚市八重咲町七—三五　電〇四六三—二一—六五九三

＊松田町図書館
〒258-0003　足柄上郡松田町惣領二〇七八　電〇四六五—八三—七〇二一　Ⓕ〇四六五—八三—七〇二五

真鶴サボテンランド
〒259-0201　足柄下郡真鶴町真鶴一一七八　電〇四六五—六八—〇二一一

珍しいサボテン、世界各地のサボテンを集める。

真鶴町立中川一政美術館
〒259-0201 足柄下郡真鶴町真鶴一一七八—一 (電)〇四六五—六八—一一二八

○＊真鶴町公民館図書室
〒259-0202 足柄下郡真鶴町岩一七二—八 (電)〇四六五—六八—一一三一 (F)〇四六五—六八—一五五一

○＊三浦市図書館
〒238-0235 三浦市城山町六—九 (電)〇四六八—八二—一一一一 (F)〇四六八—八二—二七六六

三菱みなとみらい技術館
〒220-8401 横浜市西区みなとみらい三—三—一 三菱重工横浜ビル (電)〇四五—二二四—九〇三一

南足柄市郷土資料館
〒250-0121 南足柄市広町一五四四 (電)〇四六五—七三—四五七〇

＊南足柄市立図書館
〒250-0117 南足柄市塚原一六一九—一 (電)〇四六五—七三—一二五一 (F)〇四六五—七二—〇二一三

棟方版画美術館
〒248-0031 鎌倉市鎌倉山二—一九—一七 (電)〇四六七—三二—七六四二

○＊明治大学生田図書館
〒214-0033 川崎市多摩区東三田一—一—一 (電)〇四四—九三四—七九四五 (F)〇四四—九三四—七九〇五

＊山北町中央公民館図書室
〒258-0113 足柄上郡山北町山北一三〇一—四 (電)〇四六五—七五—三一三一 (F)〇四六五—七五—三〇三〇

山口蓬春記念館
〒240-0111 三浦郡葉山町一色二三二〇 (電)〇四六八—七五—六〇九四

山手資料館
〒231-0862 横浜市中区山手町二四七 (電)〇四五—六二二—一一八八
明治の横浜の風俗を知る資料。

大和学園聖セシリア女子短期大学図書館
〒242-0003 大和市林間二―六―一一 (電)〇四六―二七四―八五六四 Ⓕ〇四六―二七五―七四五三

＊大和市立図書館
〒242-0018 大和市深見西一―二―一七 (電)〇四六―二六三―〇二一一 Ⓕ〇四六―二六五―一三五六

山本民俗資料館
〒243-0216 厚木市宮の里三―六―一七 (電)〇四六―二四一―五九七五

〇＊湯河原町立図書館
〒259-0303 足柄下郡湯河原町土肥一―四―一三 (電)〇四六五―六三―四一五五 Ⓕ〇四六五―六二―〇二三九

湯河原万葉公園
〒259-0314 足柄下郡湯河原町宮上五六六 (電)〇四六五―六二―三七六一
万葉集にちなむ草花と文化人に関する資料。

〇横須賀市自然・人文博物館
〒238-0016 横須賀市深田台九五 (電)〇四六八―二四―三六八八

横須賀市点字図書館
〒238-0016 横須賀市深田台三八 (電)〇四六八―二二―六七一二

〇＊横須賀市立中央図書館
〒238-0017 横須賀市上町一―六一 (電)〇四六八―二二―二二〇二 Ⓕ〇四六八―二三―四二〇〇

＊横須賀市立北図書館
〒237-0061 横須賀市夏島町一二 (電)〇四六八―六六―〇五一六 Ⓕ〇四六八―六六―〇六九六

＊横須賀市立南図書館
〒239-0831 横須賀市久里浜六―一四―三 (電)〇四六八―三六―〇七一八 Ⓕ〇四六八―三六―〇三七四

＊横須賀市立児童図書館
〒238-0007 横須賀市若松町三―二〇 (電)〇四六八―二五―四四一七 Ⓕ〇四六八―二五―七三〇九

○＊横浜開港資料館
〒231-0021　横浜市中区日本大通三　㊢〇四五—二〇一—二一〇〇　Ⓕ〇四五—二〇一—二一〇二

○横浜市環境科学研究所
〒235-0012　横浜市磯子区滝頭一—二　㊢〇四五—七五二—二六〇五

○横浜市市民情報センター
〒231-0017　横浜市中区港町一—一　㊢〇四五—六七一—三九〇〇

横浜市技能文化会館技能文化展示室匠プラザ
〒231-8575　横浜市中区万代町二—四—七　㊢〇四五—六八一—六五五一

○＊横浜国立大学附属図書館
〒240-8501　横浜市保土ケ谷区常盤台七九—六　㊢〇四五—三三九—三二〇四　Ⓕ〇四五—三三九—三二二八

横浜こども科学館
〒235-0045　横浜市磯子区洋光台五—二—一　㊢〇四五—八三二—一一六六

横浜市子ども植物園
〒232-0066　横浜市南区六ツ川三—一二二　㊢〇四五—七四一—一〇一五

横浜市三殿台考古館
〒235-0021　横浜市磯子区岡村四—一一—二二　㊢〇四五—七六一—四五七一
三殿台遺跡の出土品と復元住居を展示。

＊横浜市社会福祉協議会福祉保健研修交流センター
ウィリング横浜情報資料室
〒233-0002　横浜市港南区上大岡西一—六—一　ゆめおおかオフィスタワー11F　㊢〇四五—八四七—六六七七　Ⓕ〇四五—八四七—六六八〇

○＊横浜市中央図書館
〒220-0032　横浜市西区老松町一　㊢〇四五—二六二—〇〇五〇　Ⓕ〇四五—二六二—〇〇五二

＊横浜市旭図書館
〒241-0005　横浜市旭区白根四—六—二　㊢〇四五—九五三—一一六六　Ⓕ〇四五—九五三—一一七九

＊横浜市泉図書館
〒245-0016　横浜市泉区和泉町六二〇七—五　電〇四五—八〇一—二二五一　Ⓕ〇四五—八〇一—二二五六

＊横浜市磯子図書館
〒235-0016　横浜市磯子区磯子三—五—一　電〇四五—七五三—二八六四　Ⓕ〇四五—七五〇—二五二八

＊横浜市神奈川図書館
〒221-0063　横浜市神奈川区立町二〇—一　電〇四五—四三四—四三三九　Ⓕ〇四五—四三四—五一六八

＊横浜市金沢図書館
〒236-0021　横浜市金沢区泥亀二—一四—五　電〇四五—七八四—五八六一　Ⓕ〇四五—七八一—二五二一

＊横浜市港南図書館
〒234-0056　横浜市港南区野庭町一二五　電〇四五—八四一—五五七七　Ⓕ〇四五—八四一—五七二五

＊横浜市港北図書館
〒222-0011　横浜市港北区菊名六—一八—一〇　電〇四五—四二一—一二一一　Ⓕ〇四五—四三一—五二一二

＊横浜市栄図書館
〒247-0014　横浜市栄区公田町六三四—九　電〇四五—八九一—二八〇一　Ⓕ〇四五—八九一—二八〇三

＊横浜市瀬谷図書館
〒246-0015　横浜市瀬谷区本郷三—二二—一　電〇四五—三〇一—七九一一　Ⓕ〇四五—三〇二—三六五五

＊横浜市都筑図書館
〒224-0032　横浜市都筑区茅ケ崎中央三二—一　電〇四五—九四八—二四二四　Ⓕ〇四五—九四八—二四三二

＊横浜市鶴見図書館
〒230-0051　横浜市鶴見区鶴見中央二—一〇—七　電〇四五—五〇二—四四一六　Ⓕ〇四五—五〇四—六六三五

*横浜市戸塚図書館
〒244-0003 横浜市戸塚区戸塚町一二七 電〇四五—八六二—九四一一 Ⓕ〇四五—八七一—六六九五

*横浜市中図書館
〒231-0821 横浜市中区本牧原一六—一 電〇四五—六二一—六六二一 Ⓕ〇四五—六二一—六四四四

*横浜市保土ケ谷図書館
〒240-0006 横浜市保土ケ谷区星川一—二—一 電〇四五—三三三—一三三六 Ⓕ〇四五—三三五—〇四二一

*横浜市緑図書館
〒226-0025 横浜市緑区十日市場町八二五—一 電〇四五—九八五—六三三一 Ⓕ〇四五—九八五—六三三三

*横浜市南図書館
〒232-0067 横浜市南区弘明寺町二六五—一 電〇四五—七一五—七二〇〇 Ⓕ〇四五—七一五—七二七一

*横浜市山内図書館
〒225-0011 横浜市青葉区あざみ野一—三—二 電〇四五—九〇一—一二二五 Ⓕ〇四五—九〇二—四四九二

○横浜市中小企業指導センター
〒231-0023 横浜市中区山下町二 電〇四五—六六二—六六三一

*横浜市病院協会看護専門学校図書室
〒234-0054 横浜市港南区港南台三—三—一 電〇四五—八三四—二〇〇二 Ⓕ〇四五—八三四—一八〇九

○*横浜商科大学図書館
〒230-8577 横浜市鶴見区東寺尾四—一一—一 電〇四五—五八三—九〇五七 Ⓕ〇四五—五八四—四八七〇

*横浜女子短期大学図書館
〒234-0054 横浜市港南区港南台四—四—五 電〇四五—八三五—八一一五 Ⓕ〇四五—八三五—八一一八

○＊横浜女性フォーラム情報ライブラリ
〒244-0816　横浜市戸塚区上倉田町四三五—一
(電)〇四五—八六二—五〇五六　(F)〇四五—八六五—四六七一

横浜市立金沢動物園
〒236-0042　横浜市金沢区釜利谷東五—一五—一
(電)〇四五—七八三—九一〇一

○＊横浜市立大学学術情報センター
〒236-0027　横浜市金沢区瀬戸二二—二　(電)〇四五—七八七—二〇七二　(F)〇四五—七八七—二〇五九

横浜市立野毛山動物園
〒220-0032　横浜市西区老松町六三—一〇　(電)〇四五—二三一—一三〇七

横浜市立間門小学校附属海水水族館
〒231-0825　横浜市中区本牧間門二九—一　(電)〇四五—六二二—〇〇〇五

○横浜市歴史博物館
〒224-0023　横浜市都筑区中川中央一—一八—一
(電)〇四五—九一二—七七七七

○横浜市労働情報センター資料室
〒231-0031　横浜市中区万代町二—四　(電)〇四五—六七一—二三四三

横浜水道記念館
〒240-0045　横浜市保土ケ谷区川島町五二二　(電)〇四五—三七一—一六二一

横浜創英短期大学図書館
〒226-0015　横浜市緑区三保町一　(電)〇四五—九二二—五六四一

横浜高島屋ギャラリー
〒220-0005　横浜市西区南幸一—六—三一　(電)〇四五—三一一—五一一一

横浜人形の家
〒231-0023　横浜市中区山下町一八　(電)〇四五—六七一—九三六一
世界各地の人形（アンティークもの等）と関連ビデオ、図書を収める。

横浜八景島シーパラダイス・アクアミュージアム
〒236-0006　横浜市金沢区八景島　(電)〇四五—七八八—八八八八

○**横浜美術館**
〒220-0012　横浜市西区みなとみらい三―四―一
㊐〇四五―二二一―〇三〇〇
○**横浜マリタイムミュージアム**
〒220-0012　横浜市西区みなとみらい二―一―一
㊐〇四五―二二一―〇二八〇
よみうりランド海水水族館
〒214-0006　川崎市多摩区菅仙谷四―一―一　㊐
〇四四―九六六―一一一一
よみうりランド植物園
〒214-0006　川崎市多摩区菅仙谷四―一―一　㊐
〇四四―九六六―一一一一
若宮八幡宮郷土資料室
〒210-0802　川崎市川崎区大師駅前二―一三―一
六　㊐〇四四―二二二―三二〇六

神奈川県図書館略史年表

年	月	事項
明治五（一八七二）	九	横浜に新聞縦覧所設立。
明治三〇（一八九七）	四	伊藤博文の尽力で金沢文庫閲覧所を復興。
明治三五（一九〇二）	一二	横浜新報、「市設図書館の必要」掲載。
明治三九（一九〇六）	六	高座郡麻溝に「日露戦役戦勝記念図書館」設立。
明治四〇（一九〇七）	八	小田原の報徳二宮神社内に「報徳文庫」設立。
明治四四（一九一一）	七	鎌倉町立図書館設立。（鎌倉小学校内）
大正元（一九一二）	一〇	貿易商秋元楓湖、横浜市西戸部町御所山に「蝸牛文庫」設立。大正六私立横浜図書館と改称、大正八ころまで存続。
大正四（一九一五）	七	県、「御大礼記念図書館ノ設置振興ニ関スル件」布達。
大正八（一九一九）	一二	久保田横浜市長、開港六十年、自治制三十年記念事業として図書館建設の勧誘書を出す。
大正九（一九二〇）	四	横浜市立図書館建設事務所、市役所内に設置。
大正一〇（一九二一）	六	横浜市図書館仮閲覧所を建設事務所内に設置し、閲覧業務開始。初代館長に伊東平蔵。
大正一一（一九二二）	七	橘樹郡向丘村本遠寺住職町田練秀、寺内に私立向丘図書館を設立。
大正一二（一九二三）	九	関東大震災により、横浜市図書館蔵書一万三千冊と建設事務所焼失。鎌倉町立図書館、足柄下郡教育会図書館倒壊。県内の罹災図書館計十五館、焼失図書七十二万五千冊という。

	一二	田島町立図書館設立。（橘樹郡田島小学校内）川崎市立図書館へつながる。
	一二	横浜市図書館、中村町バラック内仮設閲覧所で、閲覧業務再開。
大正一四（一九二五）	九	横須賀市隣保会館内に図書部新設。
大正一五（一九二六）	一〇	平間寺（川崎大師）が私立大師図書館設立。当時としてはユニークな経営で、活況。昭和二には文部省表彰。
昭和二（一九二七）	八	横浜市図書館新築開館。（老松町）。
昭和三（一九二八）	二	県、「御大礼記念事業トシテノ図書館ノ設置振興ニ関スル件」布達。
	三	神奈川県図書館協会発足。事務所は県社会教育課内。
	四	横浜市立商業専門学校（現横浜市立大学）図書室設置。
	七	県、「簡易図書館施設の奨励ニ関スル件」布達。御大礼記念事業の布達とあいまって各地に図書館設立される。
	九	町立茅ヶ崎図書館設立。（茅ヶ崎小学校内）
昭和三（一九二八）	一一	秦野町立図書館設立。
昭和四（一九二九）	三	高津町立図書館設立（高津小学校内）。川崎市立高津図書館へつながる。
昭和五（一九三〇）	八	金沢文庫開館。初代文庫長　関靖。
昭和六（一九三一）		横浜専門学校（現神奈川大学）図書館設置。
昭和七（一九三二）	四	大倉山精神文化研究所図書館設立。
昭和八（一九三三）	四	小田原町図書館開館。
	九	「神奈川県図書館協会報」創刊。
昭和九（一九三四）	四	県図書館協会、「図書館振興に関する建議書」を県に提出。昭和八の図書館令改正を受けての動き。
昭和一九（一九四四）	三	鎌倉図書館、軍施設転用のため閉館。

昭和二〇（一九四五）	三	横浜市図書館、軍による立ち退き命令をうけ、戸部国民学校へ移転。
	四	川崎市立図書館、大師図書館などが、空襲により焼失。
昭和二一（一九四六）	四	金沢文庫、川崎市立図書館休館を経て再開。
昭和二二（一九四七）	三	神奈川県図書館協会再発足。四月には横浜市図書館の施設返還について要請。
	七	横須賀市立横須賀図書館設立。
	九	横浜市図書館、野毛山に復帰し、閲覧業務再開。一部開架式を導入。
昭和二三（一九四八）	四	平塚市図書館開館。
	七	藤沢市図書館開館。
	八	CIE横浜図書館開館。県フィルムライブラリー併設。
	九	大磯町立図書館開館。
昭和二四（一九四九）	三	三崎町立図書館開館。三浦市図書館へつながる。
	三	帝国女子専門学校、東京から移転し、図書館設置。四月から相模女子大学附図書館となる。
	四	県社会教育課、移動図書館開始。
	四	関東学院大学図書館発足。
	四	横浜市立大学図書館開館。
	一〇	横浜国立大学附属図書館、本館（鎌倉市）、など開館。
昭和二五（一九五〇）	二	麻布獣医科大学附属図書館設置。
	七	逗子町立図書館設立（横須賀市からの分離）
二六（一九五一）	一〇	県図書館協会、県立図書館設置につき陳情。
二七（一九五二）	四	県立図書館準備委員会発足

二九（一九五四）	二	県立図書館開館
三〇（一九五五）	四	秦野市図書館設立
	一	県立図書館、相模湖町、藤野町、城山町、津久井町などで、自動車文庫による普及活動開始。
三一（一九五六）	五	全国図書館大会を県立図書館で開催
三三（一九五八）	九	県立図書館、ブックモビル「さがみの」運行開始。
三四（一九五九）	一	県立川崎図書館開館
三七（一九六二）	四	海老名市立図書館開館
三八（一九六三）	四	相模工業大学（現湘南工科大学）附属図書館開館
	一〇	藤沢市図書館、鵠沼に新築移転。藤沢市中央図書館として開館（現藤沢市南市民図書館）
三九（一九六四）	一〇	県立教育センター設置
四〇（一九六五）	四	フェリス女学院大学図書館開館
四一（一九六六）	四	横浜商科短大（現横浜商科大学）図書館開館
四二（一九六七）	一	「横浜市の図書館の充実をねがう市民の会」（前年一一月発足）図書館費増額等を陳情
	三	県立博物館開館
	四	県立衛生短大図書館開館
四三（一九六八）	六	県立外語短大図書館開館
四四（一九六九）	一〇	日本大学農獣医学部図書館藤沢分室設置（現日本大学生物資源科学部湘南図書館）
四五（一九七〇）	四	平塚市図書館新築開館

四六（一九七一）	一	東洋医科大学（現聖マリアンナ医科大学）附属図書館開設
	四	津久井郡郷土資料館設置
	七	厚木市立図書館開館
四七（一九七二）	八	県立図書館、県立文化資料館を併設
四八（一九七三）	一	「よこはま文庫の会」（前年発足）、図書館設置の陳情
四九（一九七四）	四	「県央地区公共図書館協議会」発足
四九（一九七四）	五	神奈川県図書館整備計画懇談会、県社会教育課へ「神奈川の公共図書館整備計画」報告
	七	藤沢市文書館開館
	七	川崎市盲人図書館開館
	七	横須賀市立児童図書館開館
	八	神奈川県ライトセンター設置
	一〇	横浜市磯子図書館開館。横浜市立に待望の二館めの図書館
	二	相模原市立図書館、鹿沼台に新築開館。
五〇（一九七五）	四	二宮町図書館開館
五一（一九七六）	一	川崎市立労働開館労働資料室設置
五二（一九七七）	四	横浜市山内図書館開館。一日の貸出が数千冊という活況
	一〇	県立図書館、協力車試行運行開始
五三（一九七八）	四	座間市立図書館、市民公民館内に開館
	一一	横浜市戸塚図書館開館。貸出処理にコンピュータを導入（POS方式）
	一二	「湘南六市図書館の雑誌相互保存に関する協定書」締結
五四（一九七九）	三	湯河原町立図書館開館

五五(一九八〇)	四	産能大学図書館開館
	一	横浜市鶴見図書館開館
	一	関東学院大学図書館新図書館開館
	四	県立図書館の自動車文庫事業撤退の方針が出される。一方協力車の運行は、試行から本格実施となる
	五	横浜市金沢図書館開館。鎌倉市深沢図書館開館
	七	川崎市幸図書館開館。県内公共図書館としては始めて資料管理にコンピュータ導入
	八	横浜市港北図書館開館
	二	神奈川大学図書館新図書館開館
五六(一九八一)	四	葉山町立図書館開館。夜八時までの開館を実施。
	六	横浜開港資料館開館。
	七	綾瀬市立図書館開館。松田町図書館開館
	七	「県央八市図書館間図書資料相互貸借要項」による相互協力発足
五七(一九八二)	四	大和市立図書館、新築開館
	四	県立第二教育センター図書資料室設置。県立埋蔵文化財センター設置
	五	横浜市保土ヶ谷図書館開館
	五	神奈川県内大学図書館相互協力協議会発足
	一〇	鎌倉市大船図書館開館
	二	県立婦人総合センター（現かながわ女性センター）図書館開館
五八(一九八三)	四	座間市立図書館新築開館。
	七	茅ヶ崎市立図書館新築開館

	八	大磯町立図書館新築開館
五九（一九八四）	四	県立図書館、自動車文庫を廃止し、協力課を新設。情報誌「こあ」創刊
	一〇	神奈川近代文学館開館
六〇（一九八五）	一	横浜市瀬谷図書館開館
	二	厚木市立中央図書館新図書館、本厚木駅前の市街地再開発ビル内に開館
	四	県立川崎図書館、ファクシミリによる文献提供サービス開始
	四	横須賀市立北部（現北）図書館、南部（現南）図書館開館。旧市立図書館は、中央図書館に名称変更
	四	慶應義塾大学日吉図書館新築開館。明治学院大学横浜新図書館開館。幾徳工業大学（現神奈川工科大学）図書館新築開館
	七	川崎市宮前図書館、麻生図書館開館
	一一	秦野市立図書館新館開館。鎌倉文学館開館。
六一（一九八六）	四	東洋英和女学院短大新図書館開館
	五	横浜市旭図書館開館
	九	鶴見大学図書館新図書館開館
	一〇	藤沢市総合市民図書館、市北部の湘南台に開館
六二（一九八七）	一	横浜市港南図書館開館
	四	鎌倉市玉縄図書館開館
	一〇	横浜市神奈川図書館開館
六三（一九八八）	三	川崎市立高津図書館、移転し新築開館
	七	南足柄市立図書館開館
	九	横浜女性フォーラム、戸塚駅近くに開館

	一	平塚駅南に、私立図書館「升水記念図書館」開館
平成元（一九八九）	二	横浜市泉図書館開館
	三	横浜市栄図書館開館
	一〇	川崎市公文書館開館
	四	伊勢原市立図書館開館。市部の図書館設置率一〇〇％になる
	五	横浜市中図書館開館
二（一九九〇）	一	相模原市立相模大野図書館開館
	三	横浜市中央図書館建設のため既存の建物を撤去、仮設図書館設置
	四	神奈川県図書館情報ネットワークシステム（KL-NET）一部稼働
	四	女子美術大学図書館開館
	一〇	県立金沢文庫新館開館
三（一九九一）	四	KL-NET　本格稼働
	五	平塚市北図書館開館
	九	藤沢市総合市民図書館と慶應義塾大学藤沢キャンパスメディアセンターが相互協力開始
四（一九九二）	四	国学院大学たまプラーザ図書館開館。日本大学農獣医学部（現生物資源科学部）藤沢図書館新館開館
	一〇	相模女子大学附属図書館新築開館。
	一一	横浜市南図書館開館。
五（一九九三）	五	平塚市西図書館開館
	六	県立文化資料館、県立公文書館設置に伴い閉館
	七	県立図書館、国立国会図書館の全国総合目録ネットワークプロジェクトへ

		参加
	七	藤沢市辻堂市民図書館開館
	一一	県立公文書館開館
六（一九九四）	三	県協会書誌委員会編「神奈川のふみくらー特別コレクション要覧」刊行
	三	県央地区八市一町一村、相互協力協定締結。自治体を越えた広域利用を実現
	四	横浜市中央図書館開館
	四	相模原市立の二図書館、市内六大学と相互協力開始
	六	桐蔭学園横浜大学大学情報センター開館
	八	小田原市立かもめ図書館、鴨宮に開館
	一一	小田原文学館開館
七（一九九五）	三	県立生命の星・地球博物館小田原市入生田に開館。横浜馬車道の県立博物館は、県立歴史博物館として開館
	三	大学図書館相互協力協議会「神奈川県内大学図書館市民利用マニュアル１９９５」を刊行
	四	神奈川県産業技術総合研究所、海老名に開所して図書室も設置
	四	横浜市都築図書館開館。川崎市立川崎図書館開館。
	五	横浜市緑図書館開館。これにより全一八区に図書館が設置された。海老名市立有馬図書館開館
	一一	相模原市立博物館開館。
八（一九九六）	一	県立図書館、横浜市図書館、藤沢市図書館、IPAと国会図書館の進める全国総合目録ネットワークシステムの運用開始

	五	平塚市南図書館開館
	七	横浜国立大学附属図書館、ホームページ公開。（試験運用）
	一〇	洗足学園大学附属図書館、新図書館開館
	一二	横浜市立図書館、横浜市立大学図書館と相互検索開始
九　（一九九七）	一	川崎市立多摩図書館移転し、新築開館
	一〇	藤沢市総合市民図書館、ホームページ開設。
一〇（一九九八）	二	地球市民かながわプラザ開館
	三	横浜市立図書館、所蔵データ等をインターネットで提供開始
	四	県立川崎図書館、「科学と産業の情報ライブラリー」をキャッチフレーズにリニューアル開館
	四	専修大学図書館新図書館開館
一一（一九九九）	三	鎌倉市腰越図書館開館
	六	厚木市立中央図書館、インターネットでの所蔵検索開始
	七	鎌倉市中央図書館、藤沢市総合市民図書館、インターネットでの所蔵検索開始。
	七	大和市立図書館、館内で市民がインターネットを自由に使用できる環境を整備
	一〇	東洋英和女学院大学図書館、新図書館開館。
	二	横浜市磯子図書館、移転し新築開館
一二（二〇〇〇）	三	KL-NET新システム稼働。所蔵情報をインターネットで検索できるようになる
	四	藤沢市湘南大庭市民図書館開館

一一	二宮町図書館新館開館

※　この略史年表は、詳細な年表として既に刊行されている『神奈川県図書館沿革略譜稿　一八七二～一九七八』（神奈川県図書館協会編昭和五三年）と『神奈川県図書館年表一九七八～一九九八』（同編　平成一〇年）および『近代日本図書館の歩み　地方篇―日本図書館協会創立百年記念』（日本図書館協会編　平成四年）、『神奈川県図書館史』（神奈川県図書館協会編　昭和四一年）に所収されている年表をもとに作成した。

参考文献

「大倉精神文化研究所沿革史稿本」

㈶大倉精神文化研究所（平成八）

「大倉精神文化研究所沿革附年表」

大倉精神文化研究所（昭和五三）

「尾崎行雄（咢堂）と津久井の人々」

津久井町立尾崎咢堂記念館（平成九）

「科学・技術・産業系専門図書館ガイド―神奈川・東京」

神奈川県立川崎図書館（平成七）

「神奈川近代文学館一〇年史一九八四・四～一九九四・三」

神奈川県立神奈川近代文学館（平成一）

「神奈川県図書館沿革略譜稿一八七二～一九七八」

神奈川県図書館協会（昭和五三）

「神奈川県図書館史」

神奈川県図書館協会（昭和四一）

「神奈川県図書館年表一九七八～一九九八」

神奈川県図書館協会（平成一〇）

「神奈川県立川崎図書館三〇年史」

神奈川県立川崎図書館（平成一）

「神奈川県立図書館音楽堂三〇年のあゆみ」神奈川県立図書館・文化資料館・音楽堂（昭和五九）

「神奈川県立図書館音楽堂四〇年の歩み」

神奈川県立図書館・音楽堂（平成八）

「神奈川大学図書館市民利用マニュアル一九九五」
大学図書館相互利用協力協議会（平成七）
「かながわのおもしろ博物館」
坂本紅子著　神奈川新聞社（平成一〇）
「神奈川の図書館　二〇〇〇」
神奈川県図書館協会（平成一二）
「神奈川のふみくら」
神奈川県図書館協会（平成六）
「神奈川の文学碑をあるく」
石川一成著　有斐閣（昭和六二）
「鎌倉文学館一〇周年記念」
鎌倉市教育委員会・鎌倉文学館（平成七）
「近代日本図書館の歩み　地方篇―日本図書館協会創立百年記念」
日本図書館協会（平成四）
「相模原市立博物館　常設展示解説書」
相模原市立博物館（平成八）
「全国図書館案内　改訂新版　上巻」
書誌研究懇話会編　三一書房（昭和六五）
「全国図書館案内　改訂新版　補遺」
書誌研究懇話会編　三一書房（昭和六八）
「専門情報機関総覧一九九七」
専門図書館協議会（平成九）
「蘇峰とその時代―よせられた書簡から」
高野静子著　中央公論社（昭和六三）
「津久井郡郷土資料館展示資料案内」
津久井郡郷土資料館（平成八）

「東京ブックマップ'97〜'98」
東京ブックマップ編集委員会　書籍情報社（平成九）
「図書館をしゃぶりつくせ」（別冊宝島ＥＸ）宝島社（平成五）
「図書館年鑑　二〇〇〇年」
日本図書館協会（平成一二）
「文書管理通信　一九九五・三―四月号　特集・神奈川県立公文書館」
文書管理通信編集室（平成二）
「放送番組ライブラリーの役割」
筧昌一（放送文化基金報ＮＯ.55）（平成七）
「放送ライブラリーの番組保存と公開」
明神正（月刊民放一九九四・九月号）　日本民間放送連盟
「ミュージアムガイド　かながわの博物館一〇一」
ミュージアムガイド編集委員会編　神奈川県博物館協会（平成六）
「横浜市歴史博物館常設展示案内」
横浜市歴史博物館（平成七）
「横浜美術館中村文庫目録」
横浜美術館美術図書室（昭和六七）
「類縁機関案内（東京・神奈川・千葉・埼玉）」相模女子大学附属図書館（平成九）

※以上の他に、各機関で発行された館報、利用案内、リーフレット等を参考とさせていただいた。

す

せ

そ

た

文庫・コレクション索引

あとがき

今から約五年前に三一書房から「県別図書館案内シリーズ・神奈川の図書館」執筆のお話があり、われわれ三人は県内の特色あるコレクションをもつ図書館の調査をはじめた。神奈川県の公共図書館は当時すでにほぼ整備され、利用者も非常に多く図書館は県民にとって非常に親しいものとなっていた。

しかし、図書館案内で県民に広く市販されるかたちのものはそれまでほとんどなく、この企画はまさに図書館利用者に必要とされるものだろうと思った。

さらには、それらの公立、大学、専門図書館が所蔵する貴重なコレクション情報を全国に発信するような資料もそれまでほとんど無く、このシリーズは実はわれわれ自身（全国の図書館員）が待望していたようなものでもあった。

図書館各館で重点的に収集している図書や特別コレクションはそのテーマに関しての体系的な貴重な研究資料で、なかには入手困難なものが多数ある。これらの資料は図書館資料相互利用の盛んなまさに情報化社会の現在、ただその館の利用者のみの財産ではなく、広く一般に開かれたコレクションであるべきだと思った。

これらがこの本の執筆をお引き受けした大きな理由であった。

その後、取材執筆もかなり進んだ段階で、出版社側に諸々の事情があった等の理由で刊行は大きく遅れたが、今回ようやくその成果を東京堂出版より出版できたことはわれわれ三人の大きな喜びである。

以上が、本書が広くおおいに活用されんことを切に願う理由である。本書の不備、不行き届きについては是非ご指摘をたまわりたいと思っている。

執筆にあたっては、各館のできるだけ新しいデータを使用したつもりだが、その後変わったところもあるかと思う。ご利用の際にはぜひ各館にご照会いただきたいと思う。

執筆にあたってご協力いただいた関係機関、団体の方々には感謝を申しあげたい。

最後に、本書の刊行をお引き受けいただいた東京堂出版、企画の段階から刊行まで終始暖かいご支援をたまわった湖北社の久源太郎氏には心よりお礼申し上げる。

二〇〇〇年十月

石井敬士
大内順
大塚敏高

石井　敬士（いしい・けいし）
1940年生まれ。上智大学外国語学部卒。現在神奈川県立図書館調査部長。

大内　順（おおうち・じゅん）
1948年生まれ。法政大学文学部卒。現在神奈川県立地球市民かながわプラザ情報サービス課長補佐。

大塚　敏高（おおつか・としたか）
1955年生まれ。早稲田大学第一文学部卒。現在神奈川県立川崎図書館ネットワーク事業課副主幹。

神奈川県の図書館

2000年11月20日　初版印刷
2000年11月30日　初版発行

著　者© 石井敬士
大内　順
大塚敏高
発行者　大橋信夫
印刷所　株式会社フォレスト
製本所　渡辺製本株式会社

発行所　株式会社 東京堂出版
東京都千代田区神田錦町3－7〔〒101-0054〕
電話　東京3233-3741　振替00130-7-270

ISBN4-490-20417-5 C0000
Printed in Japan